collection **POUR CONNAÎTRE LA FRANCE**

J.-L. NEMBRINI
Professeur agrégé

P. POLIVKA
Professeur agrégé

J. BORDES
Conseiller Pédagogique, Directeur d'école

Histoire

CM

HACHETTE
Éducation

Les auteurs remercient vivement tous leurs collègues I.D.E.N., C.P.A.I.D.E.N. et instituteurs qui ont participé à la mise au point de la collection *Pour connaître la France.*

Leurs critiques constructives et leurs suggestions à la suite des lectures et des expérimentations avec leurs élèves ont en effet permis de mieux adapter encore les ouvrages de la collection aux besoins de la classe.

Les Classiques Hachette joignent volontiers leurs remerciements à ceux des auteurs.

Maquette intérieure : Mosaïque

Réalisation et fabrication : Mosaïque

Cartes : Classiques Hachette et Studio Bérad

© HACHETTE LIVRE, 1985
43, quai de Grenelle
75905 Paris Cedex 15

ISBN 2.01.011110.9

Avant-propos

Par l'histoire, l'élève de l'école élémentaire se familiarise peu à peu avec ses racines. Il comprend la diversité des apports qui ont construit notre civilisation.

Mais l'histoire, c'est aussi la compréhension de la durée. L'accent a été mis sur les permanences et sur les liens qui unissent le présent au passé.

Aussi notre choix pédagogique n'est-il pas celui de l'encyclopédisme. Pour chaque période, les événements retenus illustrent quelques notions simples qui se construisent progressivement : civilisation, pouvoir, société, etc. La progression proposée n'est donc pas thématique, mais suit l'ordre chronologique naturel.

Cette progression continue et rigoureuse s'accompagne d'une méthode pédagogique active. Celle-ci favorise l'observation, l'analyse critique de documents variés et enfin conduit à des apprentissages de base et à l'acquisition de connaissances.

La démarche proposée passe par quatre étapes :
1. la construction et la compréhension des notions par l'analyse des documents ;
2. la structuration de ces notions par la lecture de la leçon proposée ;
3. la mémorisation des éléments principaux ;
4. l'approfondissement des notions grâce aux *dossiers d'étude* qui terminent les séquences chronologiques.

Le texte de chaque leçon est conçu pour être lu et assimilé après un travail de recherche. Ce travail actif est guidé par une série de questions ; il s'appuie aussi, le plus souvent possible, sur une frise chronologique et sur une carte d'atlas appelée en haut de page. Chaque leçon s'inscrit donc, précisément, dans la durée et dans l'espace.

La structure du manuel permet à l'élève de disposer, d'un seul regard, de tous ces outils pédagogiques.

Les *dossiers d'étude* permettent aux maîtres de proposer à leurs élèves des travaux de groupe, pour les initier à la construction d'une synthèse.

Pour faciliter le travail de l'élève, des définitions simples sont signalées en caractères gras dans le texte et dans un index général.

Certains mots sont marqués d'un astérisque, afin que les élèves fassent eux-mêmes un travail de recherche dans un dictionnaire.

Cet ouvrage est dans l'esprit des nouvelles instructions : à la volonté de contribuer à la formation de futurs citoyens et citoyennes, conscients et responsables, s'ajoute le désir de sauvegarder les acquis de la pédagogie d'aujourd'hui.

Les auteurs

Table des matières

AU COMMENCEMENT

La Préhistoire

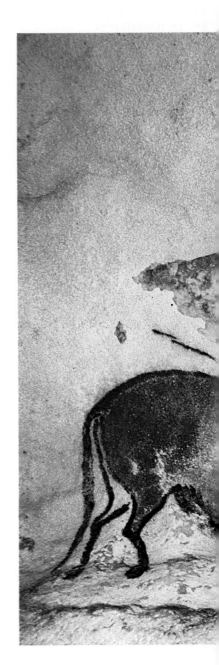

Peintures murales
des grottes de Lascaux.

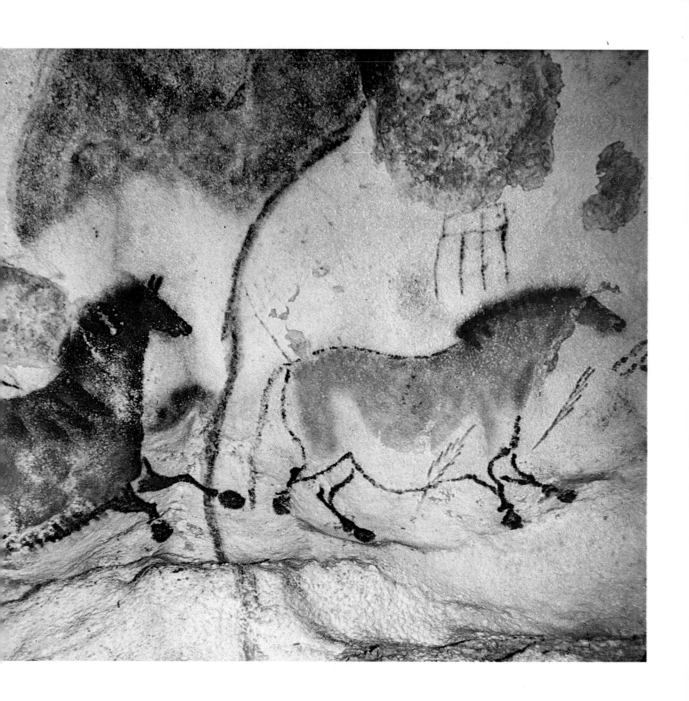

1 NOS ORIGINES

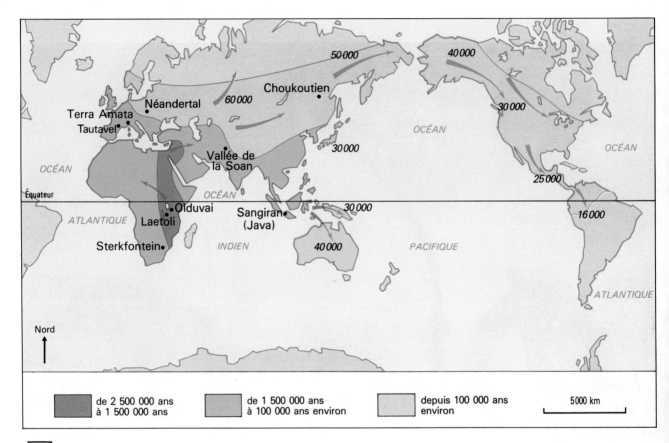

1 Le peuplement de la Terre par l'homme

Légende :
- de 2 500 000 ans à 1 500 000 ans
- de 1 500 000 ans à 100 000 ans environ
- depuis 100 000 ans environ

5000 km

2 Un chantier de fouilles

1. Un éclair dans la nuit des temps

Les savants pensent que le plus vieil ancêtre de l'homme a vécu il y a plus de 3 millions d'années. Comparés à une vie humaine, ces temps paraissent infinis. Comparés à l'histoire de la Terre, c'est le temps d'un éclair.

Seul parmi les autres **primates,** notre lointain ancêtre s'est redressé et a pu vivre debout : ainsi, de ses mains libres, il pouvait saisir et manipuler les objets. Il a eu l'idée d'utiliser et de conserver des branches et des galets, qu'il brisait afin de les rendre tranchants, pour chasser... Au cours des millénaires, son cerveau s'est développé ; il a perfectionné ses outils et il a pu dominer la nature.

2. Des millions d'années pour faire l'homme

Il est difficile de connaître ce très lointain passé ; il en reste peu de choses et, pour les dater, des moyens scientifiques très modernes sont nécessaires.

Les plus anciennes traces humaines ont été décelées en Afrique de l'Est. Les **archéologues** ont trouvé là le squelette d'une jeune fille de 20 ans, qui vivait il y a plus de 2 millions d'années : ils l'appelèrent Lucy. Plus récemment, un squelette vieux de plus de 3 millions d'années a été découvert. Mais on a trouvé aussi, dans l'argile durcie, des empreintes de pas datant de 3 millions et demi d'années.

A partir de l'Afrique, ces espèces humaines atteignirent d'autres régions : la Chine, Java, l'Europe. Les premières traces connues de l'utilisation du feu remontent à plus de 400 000 ans.

3. L'homme de Néandertal

On a découvert en Allemagne, à Néandertal, un crâne vieux de 100 000 ans ; le cerveau de cet homme était aussi volumineux que le nôtre. Il vivait, en groupe, près des rivières. Avec ses compagnons, il chassait l'ours, le lion, la panthère, qu'il abattait avec des pieux durcis au feu.

Sans doute, ces hommes avaient-ils déjà une pensée religieuse, car on croit qu'ils furent les premiers à enterrer leurs morts. C'est par l'étude des nombreuses sépultures* qu'ils ont laissées, que l'homme d'aujourd'hui essaie de comprendre la pensée de l'homme de Néandertal.

3 Empreintes de pas vieilles de trois millions cinq cent mille ans découvertes à Laetoli

——— lexique ———

archéologie :
étude du passé à partir des traces et des objets que les chercheurs découvrent.

Préhistoire :
période qui va des origines de l'homme à l'invention de l'écriture.

primate :
l'homme et le singe font partie du groupe des primates.

——— questions ———

1. Retrouvez, sur le doc. 1, le déplacement des premiers hommes de l'Afrique jusqu'à leur arrivée en Amérique du Sud. Construisez la ligne du temps de ce cheminement.

2. Sur quelle région du doc. 1, pouvez-vous localiser le doc. 3 ?

3. Décrivez le chantier de fouilles (doc. 2).
Quelles sont les diverses activités des archéologues sur le doc. 2 ?

L'homme est apparu en Afrique. Au cours de centaines de milliers d'années, l'espèce humaine s'est répandue sur l'ensemble de la planète.
Grâce à son intelligence, l'homme a fabriqué les premiers outils et a dominé peu à peu la nature.

2 AU TEMPS DE L'HOMME DE CRO-MAGNON

1 La pêche au temps de Cro-Magnon

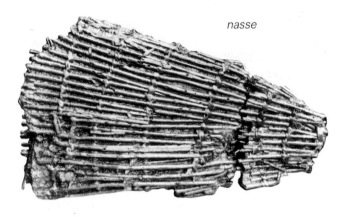

nasse

harpons durcis au feu

2 Les outils de l'homme de Cro-Magnon

pointe
ou
« feuille de laurier »

aiguilles en os

bifaces
ou
« coups de poing »

harpon en os

utilisation du feu			homme de Néandertal		homme de Cro-Magnon	Lascaux	
P A L É O L I T H I Q U E							NÉOLITHIQUE
− 300 000	− 200 000		− 100 000		− 50 000	− 35 000	− 14 000

1. Vers l'homme d'aujourd'hui

C'est au cours de la période **paléolithique,** durant près de 3 millions d'années, que l'espèce humaine s'est transformée. Elle est passée de la créature pourchassant de petits animaux à l'aide d'un bâton ou d'une pierre grossièrement taillée, à l'homme vivant en groupes organisés dans des grottes ou des abris.

En Europe, les hommes ont dû faire face à des changements profonds de climat. Des périodes de refroidissement, appelées glaciaires, succédaient à des périodes de réchauffement. Certains groupes ont pu s'adapter, d'autres non. Les hommes de Néandertal ont ainsi disparu, il y a 50 000 ans.

10 à 15 000 ans plus tard, l'homme moderne apparut en France, au cours de la dernière glaciation*.

2. L'homme de Cro-Magnon

En 1868, dans l'abri de Cro-Magnon, en Dordogne, furent mis à jour les restes de trois hommes adultes, d'une femme et d'un enfant. Autour d'eux, on allait retrouver des débris d'animaux et de plantes de climats froids, ainsi que de nombreux objets fabriqués. Ces éléments permirent de reconstituer leur vie.

Ils vivaient le plus souvent en groupes **nomades.** Pour se protéger du froid, ils cherchaient refuge à l'entrée de grottes qu'ils aménageaient. Ils construisaient également des abris* à moitié enterrés, ou dressaient des tentes en peau de bête.

Les hommes de Cro-Magnon continuaient à tailler la pierre, mais fabriquaient aussi des outils et des armes avec de l'os, de l'ivoire et des bois de rennes ou de cerfs : des sagaies, des harpons, des hameçons, des aiguilles, etc.

Peu nombreux, ils disposaient d'assez de nourriture. Ils cueillaient des baies* et des fruits, chassaient les petits animaux : lièvres, oiseaux ; mais ils se nourrissaient surtout de gros gibier comme le cheval ou le renne qu'ils consommaient en quantité.

3. Un artiste

Pour nous, l'homme de Cro-Magnon est d'abord un artiste. Il a laissé au fond de certaines grottes, comme à Lascaux en Dordogne, de merveilleuses peintures d'animaux. Il les peignait au pinceau, au tampon*, et projetait quelquefois des poudres de couleur à l'aide d'un tube taillé dans un os ou un roseau. Ces grottes étaient peut-être des **sanctuaires.**

---

3 La force de l'art

On a retrouvé des palettes à broyer l'ocre et de l'ocre par kilos, dans des lieux sans fresque. Il faut imaginer les peaux de chevaux ou de bisons admirablement peintes, les bois merveilleusement sculptés, les corps dansant et chantant sous le noir, le rouge, le blanc, de savants maquillages.

A. LEROI-GOURHAN, *Préhistoire de l'art occidental,* Mazenod.

——— lexique ———

nomades :
se dit des hommes qui n'ont pas d'habitation fixe.

paléolithique :
(temps de la pierre taillée) ; aujourd'hui, ce mot désigne la période de la Préhistoire qui s'étend de l'apparition de l'homme à l'invention de l'agriculture.

sanctuaire :
lieu sacré où se déroulent les cérémonies religieuses.

——— questions ———

1. Imaginez, à l'aide des doc. 1, 2 et 3, la vie quotidienne de l'homme de Cro-Magnon. Faites un résumé sur votre cahier.

2. Quels animaux reconnaissez-vous sur la fresque de Lascaux de la page 17 (doc. 2 et 3) ?

3. A l'aide d'un papier calque, reproduisez un de ces animaux.

Les premiers hommes vivaient en groupes nomades.
Toute leur nourriture provenait de la pêche, de la chasse et de la cueillette.
Ils inventèrent l'art.

3 LA RÉVOLUTION NÉOLITHIQUE

1 Les premiers éleveurs : dessins des grottes du Tassili, en Afrique

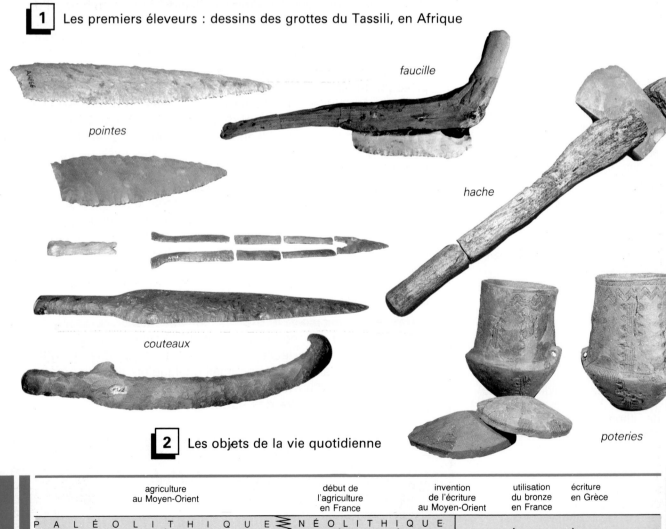

faucille

pointes

hache

couteaux

poteries

2 Les objets de la vie quotidienne

	agriculture au Moyen-Orient		début de l'agriculture en France	invention de l'écriture au Moyen-Orient	utilisation du bronze en France	écriture en Grèce
P A L É O L I T H I Q U E		N É O L I T H I Q U E				
− 10 000	− 8 000		− 5 000	− 4 000	− 2 000	− 1 000

3 Un menhir

──────── lexique ────────

néolithique :
(temps de la pierre polie) période de la Préhistoire au cours de laquelle l'homme inventa l'agriculture.

sédentaire :
contrairement à celui du nomade, l'habitat de l'homme sédentaire est fixe.

──────── questions ────────

1. Localisez le Tassili (doc. 1) sur une carte d'Afrique. Quelle remarque surprenante peut-on faire ?

2. Comparez les objets de la période néolithique (doc. 2) avec ceux de la période paléolithique (page 10).

3. En vous aidant de la carte de l'atlas, p. 2, décrivez les différents cheminements de l'agriculture à partir du Moyen-Orient.

1. L'élevage et l'agriculture

Vers 8 000 avant J.-C., au cours de la période **néolithique,** le climat de l'Europe se réchauffa. La forêt remplaça la prairie ; les grands troupeaux de rennes, de chevaux et de bœufs sauvages, que chassait l'homme de Cro-Magnon, diminuèrent. C'est sans doute la recherche d'une nourriture plus abondante et plus régulière qui conduisit peu à peu l'homme à élever des animaux et à cultiver la terre.

L'homme devint éleveur en essayant de domestiquer* certains animaux : d'abord le chien qui l'aida pour la chasse, puis le mouton. Vers 5 000 avant J.-C., les hommes qui occupaient la grotte de Châteauneuf-les-Martigues, dans les Bouches-du-Rhône, mangeaient en effet beaucoup de mouton. Plus tard, le bœuf et le porc furent également domestiqués.

Ce sont les hommes qui vivaient au Moyen-Orient et en Grèce qui mirent au point les techniques de l'agriculture. Le blé et l'orge qu'ils cultivaient, n'existaient pas dans nos régions. Mais peu à peu, par des échanges le long des côtes méditerranéennes, ces deux céréales arrivèrent jusqu'en France. Les **archéologues** ont retrouvé les traces d'agriculteurs qui, depuis le Moyen-Orient, et remontant la vallée du Danube, ont apporté leurs méthodes jusqu'en Europe. 5 000 ans avant J.-C., ils atteignirent la plaine d'Alsace. De là, il fallut encore 3 000 ans pour que l'agriculture se répandît sur l'ensemble de notre pays.

2. L'agriculture transforme la société

Avec l'agriculture et l'élevage, le nombre des hommes se multiplia. Ceux-ci vivaient dans des maisons de bois et d'argile groupées en villages de 150 à 200 habitants : chacune de ces maisons devait abriter une famille de 7 à 10 personnes. L'homme devint **sédentaire.**

Dans les habitations, on conservait le grain dans de grandes jarres* suspendues : il fallait en effet se protéger des rongeurs*. L'outillage se transforma également. Ces agriculteurs travaillaient le sol à la houe* et coupaient le blé à l'aide de faucilles de silex. Les premières meules de pierre permettaient d'écraser les grains que l'on mangeait sous forme de bouillies.

Ces progrès furent si importants pour l'humanité que les savants ont parlé de révolution de l'agriculture.

L'agriculture fut inventée au Moyen-Orient, puis s'est répandue à travers l'Europe. Avec l'élevage et l'agriculture, les hommes ont changé de mode de vie.
Ils construisirent des maisons et se groupèrent dans des villages : ils devinrent sédentaires.

4   LE PEUPLEMENT DE LA GAULE

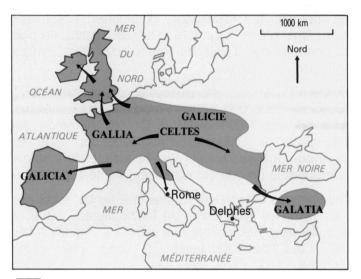

1 Le monde celte

2 Un seau celte en bois garni de bronze (âge du bronze)

3 Reconstitution d'une ferme celte à l'âge du fer

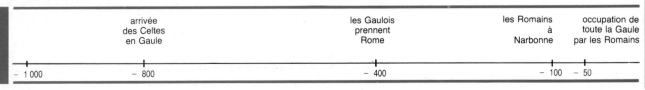

	arrivée des Celtes en Gaule		les Gaulois prennent Rome		les Romains à Narbonne	occupation de toute la Gaule par les Romains
− 1 000	− 800		− 400		− 100	− 50

1. L'âge du bronze

2 000 avant J.-C., la révolution de l'agriculture s'est étendue à notre pays tout entier. A cette époque, de l'autre côté de la Méditerranée, les Égyptiens avaient déjà bâti une grande **civilisation** : ils connaissaient l'écriture. Ils avaient dressé d'immenses pyramides* pour enterrer leurs puissants rois, les pharaons*.

Les habitants de notre pays n'avaient pas encore fait de tels progrès. Ainsi, l'écriture n'existait pas. Pourtant des techniques nouvelles apparaissaient. On commençait à utiliser les métaux. On confectionna d'abord des bijoux en or, en argent ou en cuivre. Mais, bientôt, l'usage du **bronze** se répandit et permit de fabriquer des outils plus efficaces. Les faucilles de bronze apparurent.

L'agriculture aussi s'améliora. On put cultiver plus de plantes. On utilisa le lait des animaux pour fabriquer les premiers fromages. On commença à cultiver le lin qui, avec la laine des moutons, allait être de plus en plus utilisé pour le tissage.

2. L'âge du fer : la fin de la Préhistoire

Vers 850 avant J.-C., des peuples d'Europe centrale, les Celtes, se mirent peu à peu en mouvement vers l'Ouest et vers le Sud. Ces peuples recherchaient les climats plus doux d'Italie, d'Espagne et surtout de France. La supériorité de leurs armes en fer leur permit de s'imposer. Une fois installés dans notre pays, ces guerriers celtes, appelés Gaulois, redevinrent des paysans.

Ils améliorèrent les techniques des hommes du **Néolithique.** Leurs scies et leurs haches en fer permettaient de mieux défricher les grandes forêts. Leurs pioches, leurs houes, le soc en fer de leurs **araires** creusaient plus profondément le sol. Leurs faucilles et leurs faux facilitaient la moisson.

Grâce à tous ces progrès, le commerce se développa. A côté des paysans, apparurent des artisans et des marchands. Les Celtes échangeaient des objets avec d'autres peuples plus avancés qui connaissaient l'écriture : les Étrusques d'Italie et les Grecs.

Peu à peu, la Gaule sortait de la Préhistoire.

--------- lexique ---------

araire :
première charrue dont le soc en bois fendait seulement la terre.

bronze :
alliage (mélange) de deux métaux, l'étain et le cuivre.

civilisation :
ensemble des façons de vivre, de penser et d'organiser la société, qui distingue un peuple d'un autre.

--------- questions ---------

1. Quelles régions les Celtes ont-ils occupées (doc. 1) ? Quels sont les noms de ces pays aujourd'hui ?

2. Décrivez le seau ainsi que les matériaux utilisés et le savoir-faire nécessaire à sa fabrication (doc. 2).

3. Quelles sont les différentes parties de la ferme (doc. 3) ?

Les Celtes, venus d'Europe centrale, possédaient des armes en fer.
En Gaule, ils améliorèrent les techniques agricoles.
Ils échangeaient leurs produits avec d'autres peuples méditerranéens qui connaissaient déjà l'écriture.

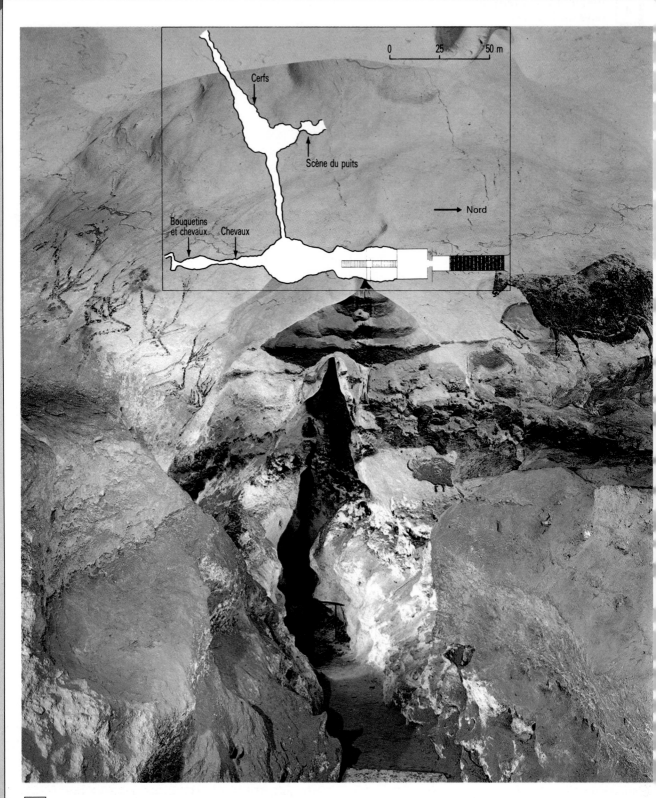

Cerfs

Scène du puits

0   25   50 m

Bouquetins et chevaux   Chevaux

Nord

1 La nef de Lascaux : vue d'ensemble

DE LASCAUX

2 **Scène du puits :**
chasse ou représentation magique

questions

1. Situez Lascaux sur la carte de l'atlas, p. 1.

2. Les préhistoriens s'interrogent sur la signification des œuvres d'art figurant sur les doc. 2 et 3. Quelles sont vos idées ?

3 **Bouquetins et chevaux**

NOS RACINES

L'Antiquité

Chef gaulois sur son char.
Frise en terre cuite du IIe siècle.

5 | QUINZE MILLIONS DE GAULOIS ?

1 Bas-relief des forgerons (II[e] s. ap. J.-C.)

2 Transport du vin par bateau
(I[er] s. ap. J.-C.)

3 Transport par char (I[er] s. ap. J.-C.)

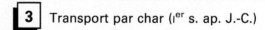

4 | L'élevage

Presque tous les Gaulois couchent sur la dure et prennent leurs repas assis sur la paille. Ils se nourrissent de lait, de viandes diverses, mais surtout de porc, frais ou salé. Les porcs, élevés dehors, acquièrent une taille, une vigueur et une vitesse si grandes qu'il y a danger à s'en approcher quand on n'est pas connu. La grande quantité de bétail, surtout de moutons et de porcs, qu'ils possèdent explique comment ils peuvent approvisionner si abondamment [...] de salaisons non seulement Rome, mais la plupart des autres marchés de l'Italie.

STRABON (58 av. J.-C. - 21 ap. J.-C.), *Géographie.*

5 | Colliers et bracelets (ve s. av. J.-C.)

——— lexique ———

Antiquité :
période de l'histoire qui commence avec l'apparition des premiers textes écrits et qui s'achève à la chute de l'Empire romain.

——— questions ———

1. Quels étaient les moyens de transport utilisés par les Gaulois (doc. 2 et 3) ?

2. Décrivez le char (doc. 3). Nommez les différentes parties. Comment est faite la roue ?

1. Des paysans inventifs

Les Gaulois inventèrent les outils agricoles que les paysans utiliseront, en Europe, jusqu'au XIXe siècle. Ils mirent même au point une moissonneuse ! Ils savaient également enrichir les sols : aussi, la production ne cessa d'augmenter. La Gaule pouvait nourrir près de 15 millions de personnes et exportait des céréales dans tout le monde antique. Les Gaulois cultivaient aussi l'orge pour fabriquer leur boisson favorite, la cervoise, une sorte de bière. Mais ils ne connaissaient pas la vigne. Les fèves*, les lentilles et autres légumes secs assuraient les réserves de l'hiver. L'élevage était l'objet de tous les soins ; la viande de porc était conservée sous forme de jambon et de saucisson.

2. Des artisans réputés

Le travail du bois et du fer faisait la renommée des artisans gaulois. Ceux-ci inventèrent le tonneau et un véhicule à quatre roues apprécié dans toute l'**Antiquité,** le carros. Ils savaient fabriquer une épée en fer d'un seul bloc longuement martelé ; pour réaliser les deux tranchants, le faure, le forgeron gaulois, soudait de petits éléments de fer le long de la lame.

Les Gaulois appréciaient les vêtements aux couleurs éclatantes et variées. Les tisserands travaillaient les fibres* de lin et de chanvre : le teinturier obtenait les couleurs à partir des plantes ou des coquillages. Les orfèvres façonnaient de nombreux bijoux comme les torques*. Les potiers fabriquaient de la céramique en série : un atelier de 500 potiers à Graufesenque, sur les bords du Tarn, produisit des millions de vases.

3. Des commerçants entreprenants

Le sel de mer et des montagnes, l'étain* de Cornouaille britannique, l'ambre* de la Baltique et le vin d'Italie traversaient la Gaule. Les chariots à quatre roues empruntaient de nombreuses routes, les voies, bien entretenues. Mais nos ancêtres préféraient utiliser la voie d'eau ; les mariniers étaient regroupés en associations, les nautes, comme celle des Parisii à Lutèce.

Au croisement des routes ou des voies d'eau, villages et villes se développèrent. Pour se protéger des pillards, les artisans et les commerçants s'installèrent sur des sites qu'ils fortifièrent, dominant les axes de circulation : les oppidums.

La Gaule était un ensemble de régions bien peuplées et actives : agriculteurs et artisans étaient réputés.
Les produits de l'élevage et des objets de fer étaient vendus dans les pays voisins.

6 DRUIDES ET GUERRIERS EN GAULE

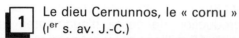

1 Le dieu Cernunnos, le « cornu » (Ier s. av. J.-C.)

2 Le cratère d'une prêtresse gauloise (cratère de Vix ; VIe siècle av. J.-C.)

casque en bronze

fibules (agrafes décoratives en fer ou en bronze)

sayon (cape) en peau ou en tissu épais

3 Un guerrier gaulois au IVe s. av. J.-C.

chaîne de ceinture en fer

fourreau orné en fer

braies (tissus de laine vivement colorés)

chaussures (cuir)

A. RAPIN.

4 · La société gauloise

En Gaule il y a deux catégories de gens importants et honorés : les druides qui s'occupent des choses de la religion, qui en règlent les pratiques et auprès desquels de nombreux adolescents viennent pour s'instruire ; et les chevaliers qui, quand besoin est, participent tous à la guerre et qui, quand ils sont nobles et riches, ont de nombreux clients.

Les gens du peuple sont considérés pour ainsi dire comme des esclaves. Ils n'ont aucune initiative, ils ne sont associés à aucune décision. La plupart d'entre eux, accablés de dettes, d'impôts énormes, en butte aux exactions des gens puissants, sont au service des nobles.

D'après Jules CÉSAR (101-44 av. J.-C.), *La Guerre des Gaules.*

─────── lexique ───────

calendrier lunaire :
système de division du temps fondé sur l'observation du déplacement de la Lune dans l'espace ; selon le calendrier lunaire, les mois comptent 29 jours et demi.

druides :
prêtres de la religion gauloise ; ils étaient aussi des juges.

─────── questions ───────

1. Décrivez l'habillement et l'armement du guerrier gaulois (doc. 3).

2. Quelles sont les trois catégories de personnes qui forment la société gauloise (doc. 4) ?

3. A l'aide de la carte de l'atlas, p. 3 : recherchez les noms des tribus gauloises de votre région.

1. Un peuple divisé

Les Gaulois se regroupaient en tribus* composées chacune de plusieurs familles. Dans la famille gauloise, les femmes étaient libres : elles avaient le droit de posséder des biens et pouvaient divorcer. Plusieurs tribus réunies formaient un peuple ou une cité ; souvent l'oppidum en était le centre. Ainsi Bibracte en Bourgogne était la capitale de la cité des Éduens. De riches guerriers, les nobles, détenaient les pouvoirs ; chaque année, ils choisissaient un chef : le vergobret. Mais les Gaulois étaient belliqueux* : les tribus et les cités ne cessaient de se combattre. Jamais elles ne réussirent à s'unir pour former un seul État.

2. L'unité religieuse : les druides

Les Gaulois ne construisaient pas de grands temples pour honorer leurs dieux, comme le faisaient les Romains. La nature abritait leurs dieux : ils vénéraient* des arbres, des sources, des montagnes. Les **druides** étaient les intermédiaires entre les hommes et les nombreux dieux des Gaulois. Ils éduquaient les enfants nobles et rendaient la justice.

Tous les druides de la Gaule se réunissaient chaque année dans la forêt des Carnutes. Ils présidaient les quatre grandes fêtes annuelles de leur **calendrier lunaire :** ainsi, le 1er mai, ils honoraient Bélénos, le dieu protecteur de la culture et de l'élevage. Des prétresses participaient aussi au culte. Avant les combats, pour assurer les soldats de la victoire, elles pratiquaient des sacrifices*, quelquefois d'êtres humains.

3. Des guerriers redoutés

Les Gaulois avaient une longue pratique de la guerre. Certaines tribus pénétrèrent en Italie et même en Grèce : au IVe siècle avant J.-C., le chef Brennus s'empara de Rome. De nombreux Gaulois s'engageaient dans toutes les armées de l'**Antiquité.** Leur bravoure, mais surtout leur armement, étaient appréciés : la longue épée en fer, la lance, la hache et le coutelas. Tous les hommes, les esclaves exceptés, portaient les armes. Les riches nobles utilisaient le char à deux roues, tiré par des chevaux, pour se lancer contre l'ennemi. Les autres guerriers étaient des cavaliers ou des combattants à pied.

Mais les guerriers gaulois n'étaient pas disciplinés. Aussi, malgré leurs armes et leur bravoure, ils ne purent résister aux légions romaines de Jules César.

Les guerriers gaulois étaient redoutés dans tout le monde antique.

Mais les tribus gauloises, souvent divisées, se combattaient entre elles.

Dans chaque tribu, les druides étaient respectés pour leur savoir.

7 LA PAIX ROMAINE

1 Le site d'Alésia

2 Une villa gallo-romaine : Montmaurin (Haute-Garonne)

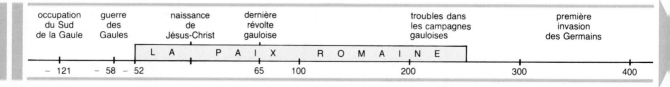

occupation du Sud de la Gaule	guerre des Gaules	naissance de Jésus-Christ	dernière révolte gauloise		troubles dans les campagnes gauloises	première invasion des Germains
		L A P A I X R O M A I N E				
− 121	− 58 − 52		65	100	200	300	400

Arles, vue par Ausone

Ouvre tes portes, Arles, ville double, aimable hôtesse, petite Rome gauloise, assise entre Narbonne et Vienne, qu'enrichissent les peuples des Alpes. Les flots du Rhône torrentueux te coupent en deux, mais un pont de bateaux fait une voie qui te permet de recevoir le commerce du monde romain. Ce commerce, tu ne le retiens pas ; tu enrichis les peuples et les places dont jouissent la Gaule et l'Aquitaine.

AUSONE (IVe s.).

————— lexique —————

citoyen :
le Gaulois qui devenait citoyen romain profitait des droits et acceptait les devoirs des Romains.

Gallo-Romain :
nom donné aux hommes qui habitaient la Gaule romaine et à la civilisation née du mélange des influences romaines et gauloises.

romanisation :
les pays vaincus et administrés par Rome devaient accepter la langue et la civilisation romaines.

————— questions —————

1. A l'aide d'un papier calque, dessinez le plan de la villa de Montmaurin (doc. 2).

2. Situez Arles sur une carte. Décrivez l'activité de la ville (doc. 3).

3. Existe-t-il dans votre région des traces de la civilisation gallo-romaine (fouilles, villas, monuments, etc.) ?

1. La conquête

Depuis la fin du IIe siècle avant J.-C., les Romains occupaient le Sud de la Gaule. Les riches territoires qui s'étendaient au Nord les attiraient aussi. Profitant de l'aide demandée par des tribus gauloises menacées par les Germains, un général ambitieux, Jules César, se lança à leur conquête en 58 avant J.-C.

Mais une partie de la noblesse gauloise, sous la direction d'un jeune prince arverne, Vercingétorix, s'opposa aux Romains. Après quelques succès, comme à Gergovie, Vercingétorix dut s'avouer vaincu au siège d'Alésia en 52 avant J.-C. Pour sauver ses compagnons, il se rendit à Jules César. Emprisonné à Rome, Vercingétorix fut assassiné dans sa prison.

2. La romanisation

L'empereur romain Auguste organisa la Gaule : à côté de la vieille province de Narbonnaise, il créa trois grandes provinces : l'Aquitaine, la Lyonnaise et la Belgique. Comme ses prédécesseurs, il s'appuya sur la noblesse gauloise pour gouverner le pays : chaque année, le 1er août, les représentants des 60 cités gauloises se réunissaient pour prêter serment de fidélité à l'empereur romain. De nombreux nobles gaulois acceptèrent de devenir **citoyens** romains ; certains occupaient de hautes fonctions ; au IVe siècle, un professeur de Bordeaux, Ausone, fut chargé de l'éducation d'un futur empereur.

3. La civilisation gallo-romaine

Rome apporta la paix. Les menaces germaniques et les luttes entre tribus gauloises, qui ravageaient souvent le pays, cessèrent. La Gaule connut alors trois siècles de calme et de prospérité : ce fut la « Paix Romaine ».

De riches romains ou des nobles gaulois bâtissaient de grandes fermes au centre d'immenses exploitations agricoles, les villas. L'agriculture prospérait. Les Gaulois développaient la culture de la vigne apportée par les Romains.

Les villes s'agrandissaient. On y construisit des théâtres, des cirques*, des amphithéâtres* et des thermes*. Des voies romaines empierrées favorisaient les échanges.

Des Gaulois de plus en plus nombreux imitaient les Romains. Ils abandonnaient leurs vieux noms gaulois ; ils adoptaient les dieux de Rome. Peu à peu, le latin, introduit partout comme langue officielle, remplaçait la vieille langue celte.

Attirés par les richesses de la Gaule, les Romains conduits par Jules César en entreprirent la conquête. Ils imposèrent l'ordre et rétablirent la paix.
L'agriculture connut alors un grand essor*. Les villes s'embellirent.
La civilisation gallo-romaine se développa.

8

LES RACINES CHRÉTIENNES DE LA FRANCE

1 A Rome, les premiers chrétiens
se réfugiaient dans les catacombes

2 Le martyre d'un chrétien

3 Jésus-Christ, le bon pasteur
(mosaïque du ve s.)

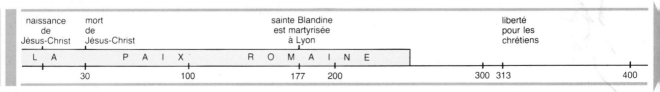

naissance de Jésus-Christ	mort de Jésus-Christ	sainte Blandine est martyrisée à Lyon	liberté pour les chrétiens

LA   PAIX   ROMAINE

30   100   177   200   300   313   400

Restait la bienheureuse
Blandine. Après les fouets,
après les fauves, après le gril,
elle fut finalement jetée dans un
filet et livrée à un taureau.
Violemment projetée par
l'animal, elle n'avait plus aucune
notion de ce qui lui arrivait à
cause de l'espérance qu'elle
avait dans le Christ. Elle aussi
fut sacrifiée et les païens* eux-
mêmes avouaient que, jamais,
chez eux, une femme n'avait
souffert des tortures aussi
grandes ni aussi nombreuses.

D'après EUSÈBE DE CÉSARÉE (IVe s.),
Histoire ecclésiastique.

────── lexique ──────

apôtres :
nom donné aux douze compagnons
de Jésus chargés de prêcher la
religion chrétienne.

Christ :
nom donné à Jésus de Nazareth ; il
signifie « choisi par Dieu ».

Messie :
sauveur envoyé par Dieu ; pour les
chrétiens, Jésus est le Messie
annoncé par les prophètes hébreux.

prophète :
personne qui annonce aux hommes les projets d'un dieu, comme
la venue d'un Messie.

────── questions ──────

1. Localisez la Palestine sur la
carte de l'atlas, p. 5.
Décrivez l'expansion de la religion chrétienne dans l'Empire
romain.

2. Les premiers chrétiens de
Rome se réfugiaient dans les
catacombes (doc. 1). Pourquoi ?

3. Faites une description de la
scène représentée sur le doc. 3.

1. Un seul Dieu

Au temps où les Celtes s'installaient en Gaule, la civilisation
des Hébreux s'épanouissait en Palestine. Les Hébreux étaient
unis par leur religion. Ils croyaient en un Dieu unique, Yahvé :
ses commandements leur avaient été transmis par Moïse. Les
cinq premiers livres de la Bible* constituaient leur loi. Plus tard,
la Palestine fut envahie. Des **prophètes** annonçaient que Yahvé
viendrait au secours de son peuple et qu'il leur enverrait un
Messie.

2. Jésus, le Messie

Le pays des Hébreux était alors sous l'occupation romaine. Au
début de notre ère, Jésus naquit à Béthléem. Il vécut son
enfance auprès de sa mère, Marie, et de Joseph qui était
charpentier. On sait peu de choses de sa vie à cette époque.
C'est vers l'âge de trente ans qu'il commença à prêcher. Avec
les **apôtres,** ses compagnons, il parcourut la Palestine en
annonçant aux foules venues l'écouter qu'il était le **Messie.** Il
prêchait une religion d'amour et de justice. « Tu aimeras ton
prochain comme toi-même », disait-il. Son message s'adressait
aux plus pauvres ; il critiquait les puissants. Ces idées nouvelles
agitaient les foules ; elles inquiétaient les autorités. Aussi Jésus-
Christ fut-il arrêté et condamné à mourir crucifié.

3. Le christianisme dans l'Empire romain

Après la mort du **Christ,** ses disciples répandirent son
message. Ils écrivirent les Évangiles* : ces livres contiennent
l'essentiel de l'enseignement de Jésus.

Partout naissaient des communautés chrétiennes. Mais, dans
l'Empire romain, elles furent persécutées, car les chrétiens
refusaient la religion romaine : pour eux, l'empereur n'était pas
un dieu.

Malgré les persécutions, la religion chrétienne se développa.
En effet, le courage de ceux qui mouraient au nom de
Jésus, était pour beaucoup un exemple. Bientôt on trouva des
chrétiens parmi les puissants de l'Empire romain. En 313,
l'empereur Constantin leur accorda la liberté religieuse.
Quelques années plus tard, le christianisme devint religion
officielle dans tout l'Empire romain.

La religion chrétienne est née en Palestine de l'enseignement de Jésus-Christ.
Au IVe siècle, elle s'est répandue en Gaule et dans tout
l'empire.

9 L'APPORT GERMANIQUE

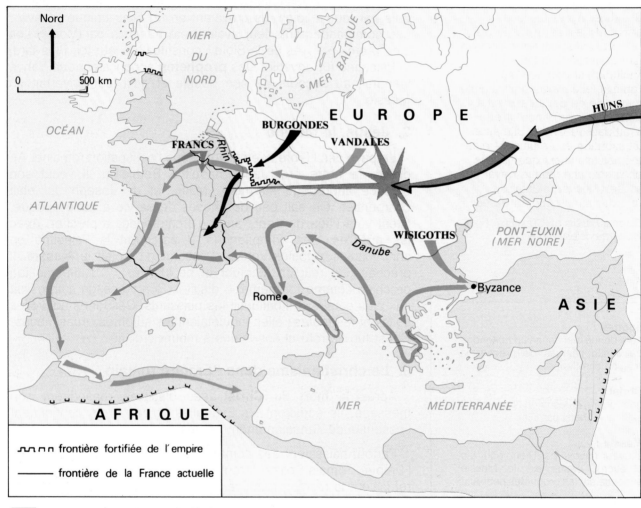

1 L'Empire romain au ve siècle :
les migrations des peuples barbares

2 Fibules
(vi^e s.)

les Barbares franchissent le Rhin	Rome est prise par les Barbares	les Huns sont arrêtés aux champs Catalauniques	chute de l'Empire romain	Clovis roi des Francs
406	410	451	476	481

3 L'immigration barbare en Gaule, à la fin du IIIe siècle

C'est donc pour moi que labourent à cette heure, le Chamave et le Frison, que ce pillard peine à travailler sans relâche mes terres en friche, peuple mon marché du bétail qu'il vient vendre. [...] Toutes les terres qui, sur le territoire d'Amiens, de Beauvais, de Troyes, de Langres, demeuraient abandonnées, reverdissent sous la charrue d'un barbare.

Panégyrique de CONSTANCE-CHLORE, 297.

4 Couronne d'un roi wisigoth (VIIe s.)

——— lexique ———

Barbare :
pour les Romains, comme pour les Grecs, le Barbare, c'était l'étranger ; les Francs, les Burgondes étaient des Barbares.

limes :
ligne de défense qui protégeait l'Empire romain des Barbares.

——— questions ———

1. Décrivez le parcours des Wisigoths (doc. 1).

2. Pourquoi les Gallo-Romains font-ils appel à des Barbares (doc. 3) ?

1. Le monde barbare

Les Romains et les **Gallo-Romains** redoutaient et méprisaient les peuples vivant hors des frontières de l'empire : ils les appelaient les **Barbares.**

Dans les forêts du Nord de l'Europe, vivaient les Germains. Parmi eux, les Francs* étaient de redoutables soldats, armés des meilleures armes comme les francisques, leurs fameuses haches. « La guerre est leur passion », disait un auteur romain. Les Germains pensaient que le dieu de la guerre, Wotan, accueillait dans son paradis les soldats morts au combat. Les Germains étaient aussi de merveilleux éleveurs de chevaux.

Depuis longtemps, les Barbares étaient attirés par les richesses de la Gaule.

2. Les migrations des Germains

Le **limes,** une ligne fortifiée entre le Rhin et le Danube, protégeait l'empire. Mais les Gallo-Romains manquaient de soldats et d'agriculteurs. A partir du IIIe siècle après Jésus-Christ, on laissa des tribus entières de Germains s'installer dans l'empire : des Francs, des Burgondes, des Alamans, des Vandales se mêlèrent au monde gallo-romain. A la fin du IVe siècle, un Vandale commandait l'armée romaine.

Mais de nombreuses tribus barbares demeuraient bloquées entre l'Empire romain à l'Ouest et les Huns*, peuple nomade redouté, venant de l'Est. A partir du IVe siècle, les Huns se mirent en marche vers l'Ouest.

3. Les vagues germaniques

A la Noël 406, le **limes** céda. Les Germains franchirent le Rhin gelé. Les légions romaines ne purent résister. Les Vandales traversèrent la Gaule, bientôt suivis par d'autres peuples. Les Wisigoths s'installèrent en Aquitaine. Derrière eux, les Huns, conduits par Attila, terrorisaient les régions qu'ils traversaient. Germains et Gallo-Romains unirent leurs forces pour les vaincre aux Champs Catalauniques en 451.

Les Germains étaient peu nombreux, souvent divisés. Parmi tous ces peuples, seuls les Francs s'imposèrent en Gaule : une nouvelle civilisation, faite de l'héritage gallo-romain et de l'apport germanique, allait s'épanouir.

L'Empire romain s'effondra à la fin du Ve siècle, sous la pression* des invasions barbares.

Bien avant les Grandes Invasions, des Germains s'étaient installés en Gaule.
Ils apportèrent leurs techniques et leur savoir : la civilisation des Germains se mêla à celle des Gallo-Romains.

1 Lyon à l'époque gallo-romaine, au IIe siècle (maquette du musée de Fourvière)

2 Un des quatre aqueducs qui alimentaient Lyon : l'aqueduc du Plat de l'Air

DES GAULES

3 Quand Lyon s'appelait Lugdunum

Lyon à l'époque gallo-romaine, racontée par un historien d'aujourd'hui

L'importance d'une ville dans l'Antiquité se mesure d'abord à sa parure monumentale : forum, thermes, édifices de spectacles. [...]

Les édifices de spectacles sont encore présents dans le tissu urbain contemporain. Lyon possédait quatre monuments de ce type. Le plus ancien était un théâtre. Construit sous Auguste, il fut agrandi sous le règne d'Hadrien. A cette époque on lui adjoint un odéon, édifice plus petit réservé aux concerts, aux déclamations et aux lectures publiques alors que le théâtre accueillait lui des jeux scéniques (pièces classiques, farces, mimes, pantomimes). [...] L'amphithéâtre s'ouvrit à la population au début du IIe siècle. On y montrait des combats de gladiateurs ou de grandes chasses d'animaux sauvages. A l'amphithéâtre de Lyon reste attaché le souvenir du martyr chrétien de 177. [...] Du quatrième édifice, le cirque, même l'emplacement est inconnu. [...]

A Lyon, comme dans la plupart des villes romaines, le confort urbain était lié à la présence de l'eau. Quatre aqueducs ont été construits au début de l'époque romaine, tous en provenance du Massif Central. [...] Parvenue à Lyon, cette eau abondante, estimée à 80 000 m^3 par jour et continue, alimentait d'abord les fontaines.

A. Pelletier, *L'histoire*, n° 33.

---

questions

1. Localisez Lyon sur une carte de France. Étudiez sa situation.

2. Retrouvez sur le doc. 1 les monuments décrits dans le texte.

3. Cherchez dans un dictionnaire la signification de forum, amphithéâtre, odéon, cirque.

4. Quels spectacles proposait-on aux habitants de Lyon à l'époque gallo-romaine ?

4 Théâtre et odéon de Lyon

MILLE ANS POUR FAIRE LA FRANCE

Le Moyen Age

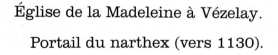

Église de la Madeleine à Vézelay.

Portail du narthex (vers 1130).

10 LE RÊVE DE L'EMPIRE FRANC

1 Le baptême
de Clovis

2 Charlemagne
à cheval (IXe s.)

3 Le partage de Verdun en 843

chute de l'Empire romain	Clovis roi des Francs		Mahomet fonde la religion musulmane	bataille de Poitiers	sacre de Charlemagne	partage de l'empire de Charlemagne (traité de Verdun)
					EMPIRE DE CHARLEMAGNE	
476	481	511	622	732	768 800	843

Pleurez, race des Francs, car l'Empire gît à présent dans la poussière. Il n'y avait qu'un chef ; il n'y avait qu'un peuple [...]. Les gens vivaient dans la paix et la force des armes frappait l'ennemi d'épouvante. Une justice en éveil mettait le crime en fuite [...]. Mais à présent ce pouvoir est foulé aux pieds de tous, dépouillé de sa couronne. L'Empire a perdu en même temps son nom et sa splendeur. L'unité royale s'est brisée en trois morceaux.

FLORUS de Lyon (IXe s.).

——— lexique ———

Église :
ensemble des personnes qui ont foi en Jésus-Christ.

pape :
le chef de l'Église catholique ; il réside à Rome.

traité :
accord signé entre des États.

——— questions ———

1. Par la cérémonie du baptême, on devient chrétien. Identifiez les personnages de la miniature (doc. 1). Décrivez la cérémonie.

2. Comparez la carte (doc. 3) du partage de Verdun avec la carte des empires vers l'an 800 (voir l'atlas, p. 6).

3. Pourquoi Florus de Lyon regrette-t-il la division de l'empire (doc. 4) ?

1. La Gaule des Francs

Quand les Germains s'imposèrent en Gaule, le christianisme s'y développait. Un roi franc, Clovis, comprit qu'il ne pourrait dominer l'ensemble de la Gaule qu'en devenant lui-même chrétien. De 485 à 511, aidé par l'**Église,** il triompha de tous ses ennemis. Le roi des Francs devint enfin roi de toute la Gaule.

Mais, suivant les vieilles coutumes* des Francs, ses successeurs se partagèrent le royaume. Ils ne cessèrent de se combattre. Le pays s'appauvrissait : chacun regrettait le temps de la « Paix Romaine ».

2. Un monde fragile et menacé

La forêt partout gagnait sur les champs autrefois cultivés. Les famines se multipliaient, rendant les hommes vulnérables* aux épidémies de lèpre, de dysenterie, de peste et de variole. La Gaule se dépeuplait.

De l'autre côté de la Méditerranée, en Arabie, venait de naître, en 622, une nouvelle religion, prêchée par le **prophète** Mahomet : l'islam ou religion des musulmans*. Les musulmans conquirent le Moyen-Orient et l'Afrique du Nord. Après l'Espagne, ce fut la France qu'ils menacèrent.

Devant l'inefficacité des successeurs de Clovis face aux envahisseurs, le chef d'une puissante famille, Charles Martel, prit la tête d'une armée. En 732, il arrêta à Poitiers les armées de l'islam. Après son fils, Pépin le Bref, son petit-fils Charlemagne devint roi des Francs.

3. Charlemagne : le rétablissement de l'empire

Charlemagne agrandit le royaume des Francs. Il repoussa les musulmans de l'autre côté des Pyrénées. Rome, capitale de la chrétienté, se plaça sous sa protection. A la Noël de l'an 800, le **pape** le sacra empereur à Rome.

La paix régnait de nouveau dans le vaste empire. Des comtes* et des évêques* administraient le pays, surveillés par les missi-dominici, les envoyés du maître.

L'agriculture renaissait dans les grands domaines agricoles dirigés par des seigneurs.

Aidé par l'évêque Alcuin, Charlemagne créa l'école du Palais pour l'éducation des nobles et des hommes d'Église. Il s'intéressa aussi aux arts.

A la mort de son fils Louis le Pieux, l'empire de Charlemagne fut morcelé en 3 parties au **traité** de Verdun, en 843.

Converti au christianisme, le roi franc Clovis dominait la Gaule.
A sa mort, son royaume fut divisé et s'affaiblit.
Trois siècles plus tard, Charlemagne reconstruisit un vaste empire.

11 LES ROIS DANS LA FRANCE FÉODALE

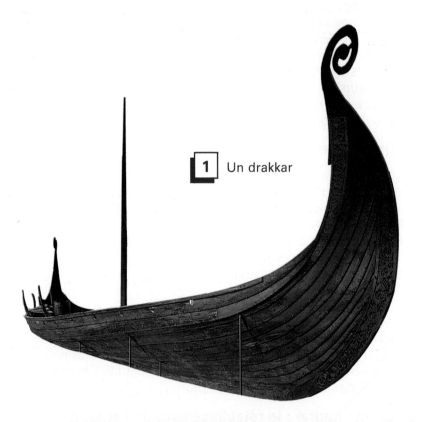

1 Un drakkar

2 Philippe Auguste en habit de sacre

3 Un château fort du XIIe siècle : Château-Gaillard en Normandie

les Normands assiègent Paris	Hugues Capet est élu roi	prise de Jérusalem par les croisés	victoire de Philippe Auguste à Bouvines
885	987	1099	1214

4 L'élection d'Hugues Capet en 987

A l'époque fixée, les grands de la Gaule se réunirent. L'archevêque de Reims leur parla ainsi : « Le trône ne s'acquiert point par droit héréditaire. On doit mettre à la tête du Royaume celui qui se distingue par la noblesse corporelle et par les qualités de l'esprit. Donnez-vous donc pour chef le duc Hugues, recommandable par ses actions, par sa noblesse et par ses troupes. Il défendra non seulement le bien public mais aussi vos intérêts privés. » Hugues Capet fut d'un consentement unanime porté au trône, couronné par l'archevêque de Reims et reconnu pour Roi.

RICHER (Xe s.), moine à Reims.

——————— lexique ———————

fief :
le fief est la terre qu'un seigneur remet à un vassal ; en échange, celui-ci promet aide et fidélité à son seigneur.

monastère :
ce mot désigne à la fois le bâtiment et la communauté des hommes ou des femmes qui y consacrent leur vie à Dieu.

nation :
ensemble des habitants d'un pays : ils sont unis par leur langue et par leur histoire.

——————— questions ———————

1. Montrez que le drakkar était un bateau rapide qui pouvait naviguer sur mer comme sur les rivières (doc. 1).

2. Décrivez le site et les moyens de défense de Château-Gaillard (doc. 3).

3. D'après le doc. 4, quelles sont les qualités qui permirent à Hugues Capet d'être élu ?

1. Les dernières invasions

L'empire de Charlemagne à peine partagé, de nouvelles invasions menacèrent la France. Au Sud, des pirates musulmans sillonnaient la Méditerranée et menaçaient les villes de la côte. A l'Est, les cavaliers hongrois faisaient des raids meurtriers.

Mais le danger le plus terrible venait du Nord. Chaque printemps, les hommes du Nord, les Normands, descendaient de Scandinavie sur leurs rapides drakkars. Ils remontaient les fleuves et les rivières pour piller les villes, les **monastères** et les campagnes.

2. L'éclatement féodal

Les rois étaient trop faibles pour faire face. Souvent, ils préféraient acheter le départ des envahisseurs. En 911, le roi Charles le Simple leur abandonna même une partie du royaume : la Normandie.

Devant l'impuissance des rois, de grands seigneurs, les comtes, organisèrent la défense. Aux nobles guerriers qui les aidaient, ils cédaient une partie de leur domaine, bientôt appelée **fief**. La France se partageait ainsi en de nombreux domaines indépendants ; sur ces terres, les seigneurs exerçaient les pouvoirs délaissés par le roi : ils levaient l'impôt et rendaient la justice. Leurs châteaux forts montraient à tous leur puissance et leur indépendance.

3. Les débuts de la monarchie capétienne

En 987, les grands seigneurs et les évêques élirent un nouveau roi, Hugues Capet. Ses descendants allaient régner sur la France jusqu'en 1792.

Le roi n'était maître que dans son propre domaine, autour de Paris. Peu à peu, il cessa d'être élu. La couronne devenait héréditaire* de père en fils. La cérémonie du sacre à Reims faisait du roi un représentant de Dieu sur Terre.

A la fin du XIIe siècle, le roi Philippe II agrandit son domaine. Il s'imposa à presque tous les seigneurs. On l'appela Philippe Auguste. Il défendit les villes qui se développaient : elles lui procuraient de l'argent et des soldats.

En juillet 1214, pour la première fois, les communes de France s'unirent derrière leur roi Philippe Auguste pour écraser à Bouvines les armées du roi d'Angleterre et de l'empereur allemand : la **nation** française commençait à naître.

Au lendemain du partage de l'empire de Charlemagne, en 843, la France se divisa en grands domaines. Les seigneurs féodaux devaient protéger les populations.
En 987, Hugues Capet fut élu roi. Ses héritiers s'imposèrent peu à peu aux seigneurs.

« PRIER, COMBATTRE ET TRAVAILLER »

12

1 La cérémonie de l'adoubement (miniature du XIVᵉ s.)

2 L'hommage : Le vassal se déclare l'homme du seigneur (miniature du XIIIᵉ s.)

L'Église était toute-puissante dans la France du temps des seigneurs.
Les paysans seuls travaillaient. Les chevaliers méprisaient le travail de la terre : la guerre était leur principale activité.

13 « UN BLANC MANTEAU D'ÉGLISES »

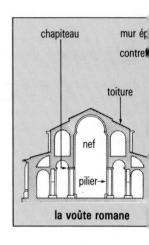

la voûte romane

1 La voûte romane :
Vézelay (XIᵉ-XIIᵉ s.)

2 La voûte gothique :
Beauvais (XIIIᵉ-XVIᵉ s.)

3 Un vitrail de la
cathédrale gothique
de Chartres (XIIᵉ-XIIIᵉ s.) :
L'évêque et le chevalier

4 Une cathédrale
gothique :
Reims (XIIIᵉ s.)

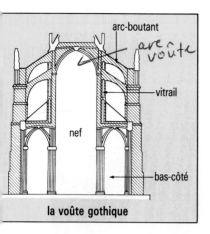

la voûte gothique

5 Un blanc manteau d'églises

Aux environs de la troisième année après l'an mil, dans tout l'univers, mais surtout en Italie et dans les Gaules, on reconstruisit les églises à neuf ; la plupart étaient pourtant en bon état, mais les chrétiens rivalisaient pour en posséder de plus belles les unes que les autres. Il semblait que la terre, se secouant, dépouillait ses vieux vêtements et revêtait çà et là un blanc manteau d'églises.

Raoul GLABER (XIe s.), *Chroniques*.

——————— lexique ———————

abbaye :
monastère avec ses terres ; à la tête de l'abbaye, l'abbé est souvent un véritable seigneur.

——————— questions ———————

1. Décrivez la forme de la nef de Vézelay (doc. 1). Comment la voûte est-elle soutenue ?

2. Y a-t-il dans votre région des églises romanes ou gothiques ? A quelles dates ont-elles été construites ? Décrivez-en le plan, les murs et les ouvertures, les voûtes et la décoration.

1. La foi des hommes du Moyen Age

Au Moyen Age, la foi chrétienne était présente au cœur de tous les hommes d'Occident. Les hommes de cette époque pensaient que la fin du monde était proche et ils avaient peur de l'enfer : ils croyaient que Dieu les jugerait après leur mort. Tous voulaient être prêts à affronter le « jugement dernier ».

Aussi vit-on se développer de grands pèlerinages*. De nombreux seigneurs, mais aussi tous ceux qui pouvaient payer leur voyage, se rendaient à Jérusalem auprès du tombeau du Christ. D'autres allaient à Compostelle, en Espagne, sur la tombe de saint Jacques, un des compagnons de Jésus. Des **monastères** se développèrent où des moines priaient pour l'ensemble des chrétiens. En 910, fut fondée l'**abbaye** de Cluny, en Bourgogne. De nombreux monastères en dépendaient dans toute la chrétienté*.

2. Les églises romanes

On construisit alors de nombreuses églises. Presque partout, la même technique était employée : une voûte en forme de demi-cercle reposant sur de lourds piliers. Ces églises étaient souvent obscures, car il fallait construire des murs épais pour soutenir la masse des pierres de la voûte.

Des sculpteurs et des peintres ornèrent ces églises romanes de scènes de la vie religieuse. Leurs œuvres devaient instruire les croyants. Aussi trouve-t-on à l'entrée des plus grandes églises, au-dessus du portail, des tympans sculptés : souvent, comme à Conques, en Aveyron, ils représentent le « jugement dernier ». A l'intérieur ce sont les chapiteaux* que ces artistes ont décorés.

3. « Le temps des cathédrales »

Vers le milieu du XIIe siècle, c'est à Saint-Denis, dans la région de Paris, qu'apparut un art nouveau. On l'appela art gothique. Les architectes eurent l'idée de placer, à l'extérieur de leurs constructions, des arcs-boutants de pierre pour soutenir les voûtes. Les murs épais n'étaient plus nécessaires. Les ouvertures purent être plus nombreuses : elles s'ornèrent de vitraux. L'art du vitrail, art de lumière, s'ajouta à la sculpture pour embellir les cathédrales.

Après l'an mil, la France se couvrit d'églises. Partout des églises romanes furent construites.
Plus tard, dans les villes, s'élevèrent les cathédrales gothiques.

14 LES CAMPAGNES AUX XIIᵉ ET XIIIᵉ SIÈCLES

1 Octobre : le mois du labourage et des semailles

1. La paix : des hommes plus nombreux

Après les dernières invasions normandes, la France retrouva la paix. Du XIᵉ au XIIIᵉ siècle, la population doubla : de grands progrès furent faits pour améliorer le travail de la terre. Ce fut le temps du beau Moyen Age.

2. De grands progrès pour l'agriculture

On défricha* de nouvelles terres : partout la forêt reculait. Dans les riches régions du Nord, la charrue à roue commençait à remplacer le vieil araire : elle était équipée d'un soc en fer qui tranchait profondément le sol et d'un versoir qui le retournait : la technique du labourage moderne était inventée. On commença aussi à utiliser la herse pour briser les mottes de terre.

C'est à cette époque également que l'on apprit à mieux utiliser la terre. Dans le Bassin parisien se répandit l'habitude de cultiver du blé la première année, puis une céréale moins exigeante la deuxième année et enfin de laisser la terre au repos la troisième année : c'était la jachère.

Ces progrès furent très importants. Mais ils mirent très longtemps à se répandre dans le royaume. Aussi, les productions n'augmentaient que très lentement.

On vit aussi apparaître les premiers moulins. Chaque seigneur voulait avoir sur ses terres un moulin à eau ou un moulin à vent.

3. La vie rude des paysans

Qu'ils soient libres ou **serfs,** les paysans travaillaient dur. La terre qu'ils cultivaient appartenait au seigneur. En échange de ce travail et des impôts qu'ils payaient aux seigneurs, ceux-ci s'engageaient à les protéger des invasions. Mais aux XIIᵉ et XIIIᵉ siècles, il n'y avait plus de grands dangers : les impôts demeuraient cependant.

Chaque année, le **vilain** payait le **cens** en argent. C'était une sorte de loyer de la terre. Mais il devait bien d'autres impôts. Il les payait en nature — quelques volailles par exemple — ou sous forme de journées de travail, la corvée, sur la terre que le seigneur se réservait.

Pour tout ce monde paysan, la vie était rude et fragile : un orage pouvait détruire les récoltes, et c'était la famine pour l'année suivante.

---

2 Les origines de la seigneurie : les paysans

Relevant de cette cour, vingt-trois exploitations paysannes libres. Il y en a six qui doivent chacune tous les ans : quatorze mesures de grain, quatre porcelets, une pièce de lin, deux poulets, dix œufs, des graines de lin, des lentilles. Tous les ans, cinq semaines de travail, labourer trois journaux, couper une charretée de foin dans le pré seigneurial et la rentrer [...]. Dix-neuf exploitations serviles, dont chacune donne, tous les ans, un porcelet, cinq poulets, dix œufs, nourrit quatre pourceaux du maître, laboure une demi-charruée, travaille trois jours par semaine, livre un cheval de marche. Sa femme fait une pièce de toile et une pièce de drap, prépare le malt et cuit le pain.

D'après un Inventaire du IXᵉ siècle.

--- lexique ---

cens :
impôt dû par les paysans au seigneur en échange de la terre qu'ils pouvaient cultiver ; en contre-partie, le seigneur devait protéger le paysan.

vilain :
paysan libre au Moyen Age.

--- questions ---

1. Quels travaux effectuent les paysans ? Décrivez la charrue et son attelage (doc. 1).

2. Quels impôts devaient payer au seigneur les paysans libres ? les serfs (doc. 2) ?

Aux XIIᵉ et XIIIᵉ siècles, la population française augmenta. De nombreux outils, comme la charrue, de nouvelles techniques, comme les moulins et l'utilisation du collier d'épaule pour l'attelage des chevaux, apparurent. Lentement, la production agricole s'accrut.

15 LA VILLE ET LES LIBERTÉS

1 Paris au Moyen Age
(enluminure du XVe siècle)

2 Une ville nouvelle
du Moyen Age :
Monpazier
(Dordogne)

1. La paix : l'épanouissement des villes

Du XIᵉ au XIIIᵉ siècle, des bourgs se développèrent autour des châteaux et des monastères. Les hommes venaient chercher la protection des seigneurs ou de l'**Église.** De nombreuses villes d'aujourd'hui datent de cette époque. Certaines, comme Foix ou Chinon, sont toujours dominées par leur château.

Toutes ces villes se protégeaient des pillages et des guerres par des remparts. A Rouen, Amiens, Paris, on agrandit les enceintes, car la population augmentait.

Il faut imaginer des rues sombres, étroites et boueuses à la moindre pluie. A Paris, les premiers pavés ne furent posés qu'à l'époque de Philippe Auguste, au début du XIIIᵉ siècle.

Dans ces villes, deux dangers menaçaient constamment les habitants : le feu et les épidémies.

2. Dans les villes, la richesse

Partout en France, les routes s'amélioraient. Les **bourgeois** demandaient la construction de ponts, comme à Cahors, sur le Lot, à Grenoble, sur l'Isère. Ils voulaient attirer le commerce.

Dans toutes les villes, l'artisanat était en plein essor. Chaque métier s'organisait en corporation. On trouvait ainsi la corporation des verriers, des orfèvres, des tisserands ou des bouchers. Les plus puissantes étaient les ghildes*, ou jurandes*, des marchands : elles fixaient les prix et protégeaient leurs membres.

Certains bourgeois devinrent plus puissants et plus riches que les seigneurs dans leurs châteaux.

3. Dans les villes, les libertés

Les seigneurs et les rois créèrent des villes pour profiter de ces richesses. Afin d'attirer les hommes, ils promettaient des libertés par un texte écrit, la **charte.**

Mais les villes les plus riches, comme celles de la Flandre, conquirent elles-mêmes leurs libertés : les bourgeois devinrent indépendants des seigneurs et eurent le droit d'élire leurs représentants. Elles devinrent des communes libres.

Dans chaque ville, le sceau* était le signe des libertés communales. Au centre de la cité, la halle, souvent très belle, indiquait à tous sa puissance et sa richesse.

Les plus grandes villes, comme Paris, Toulouse, Bordeaux, Montpellier, abritaient des **universités.** Elles aussi obtinrent des libertés.

3 Le sceau de la ville de Toulouse

— lexique —

bourgeois :
habitants des villes au Moyen Age.

charte :
texte fixant les droits et les libertés des bourgeois.

université :
communauté des professeurs et des étudiants : au Moyen Age, les professeurs étaient des hommes d'Église.

— questions —

1. Comment la ville de Paris se protégeait-elle ?
Décrivez la porte d'accès (doc. 1).

2. Dessinez le plan de la ville de Monpazier. Que remarquez-vous (doc. 2) ?

Du XIᵉ siècle au XIVᵉ siècle, les villes se développèrent.
Par le commerce et l'artisanat, les richesses s'y accumulaient.
Peu à peu, les villes arrachèrent leurs libertés aux seigneurs féodaux.

16 1348, LA PESTE NOIRE

1 Le triomphe de la mort (tableau du XVe s.)

2 | La famine en Flandre

Cette année-là (1316), en raison des pluies torrentielles et du fait que les biens de la terre furent récoltés dans de mauvaises conditions et détruits en plusieurs régions, il se produisit une disette de blé et de sel. [...] En raison des intempéries et de la famine intense les corps commencèrent à s'affaiblir et il en résulta une mortalité si forte qu'aucun être alors vivant n'en avait jamais vu de semblable ou n'en avait entendu parler.

Gilles le MUISIT (abbé de Saint-Martin de Tournai), *Chroniques et Annales.*

3 | La peste en Provence

La maladie se développe à ce point que, par crainte de la contagion, aucun médecin ne visite le malade, même si celui-ci offre tout ce qu'il possède en ce monde : le père ne visite pas son fils, ni la mère sa fille, ni le frère son frère, ni le fils son père, ni l'ami son ami, ni un voisin un voisin, ni un allié un allié, à moins de vouloir mourir immédiatement avec lui et le suivre [...] dans la tombe. L'on dit qu'au total, en trois mois, c'est-à-dire du 25 janvier jusqu'à ce jour, on a enterré, en Avignon, 62 000 morts.

D'après un chanoine brugeois en 1348.

—————— questions ——————

1. Quels sont les éléments du tableau qui représentent la mort (doc. 1) ?

2. Situez la Flandre sur une carte. Quelles sont les causes de la famine de 1316 (doc. 2) ?

1. Un monde fragile

La France comme toute la chrétienté avait connu une longue période de prospérité depuis l'an mil. Les campagnes s'épanouissaient. Les villes se développaient. Les habitants se multipliaient.

Mais au début du XIVe siècle, tous les espaces cultivables étaient occupés. La production agricole stagnait. Elle ne suffisait plus à nourrir toute cette population. Le climat devenait plus humide et plus frais : le grain pourrissait en terre et les mauvaises récoltes se succédaient. La famine réapparut : les hommes, affaiblis, ne résistaient plus aux maladies.

2. La peste noire

Le 1er novembre 1347, des navires venus de la mer Noire entrèrent dans le port de Marseille. Des pestiférés étaient à bord.

Dès le début de 1348, la peste gagna toute la Provence. L'épidémie s'étendit le long des routes commerciales. Les marchands, les soldats et les marins portèrent la terrible maladie à travers toute l'Europe.

A Paris, en juin et en juillet 1349, des dizaines de milliers de Parisiens moururent. Le tiers de la population de l'Europe fut emporté par l'épidémie. Souvent, les survivants étaient trop peu nombreux pour ensevelir les morts. Ignorant tout de l'hygiène et de la contagion, les hommes voyaient dans la peste une punition de Dieu ou la vengeance du diable.

3. Le temps des inquiétudes

Menacés par la peste et les famines, les hommes redoutaient la mort et craignaient le jugement de Dieu. Ils recherchaient la pitié du Christ. Des troupes de flagellants* parcouraient les rues en se fouettant les uns les autres. Certains faisaient appel aux sorciers pour lier un pacte avec le diable, d'autres commençaient à critiquer l'**Église.** Ils pensaient qu'elle ne les aidait pas à vivre en disciples du Christ et qu'elle les préparait mal à affronter la mort.

Dans l'art, l'image de la mort était partout présente : les artistes représentaient des danses macabres* où un squelette armé d'une faux poursuivait les vivants pour les entraîner vers la mort.

Au XIVe siècle, la famine et la peste accablèrent la France. Les hommes mourraient par milliers.
Dans les tableaux laissés par les artistes de cette époque, la mort est partout présente.

17 LA GUERRE DE CENT ANS

1 La bataille de Crécy, 1346

2 Les soldats pillards

3 Jeanne avec le roi Charles VII ; derrière eux, le roi d'Angleterre

	début de la guerre de Cent Ans	défaite de Crécy	défaite de Poitiers		défaite d'Azincourt	Jeanne d'Arc reprend Orléans	mort de Jeanne d'Arc mai	les Anglais quittent l'Aquitaine
	1328	1346	1356		1415	1429	1431	1453

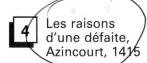

1. Les origines de la guerre

En 1328, le roi de France mourut sans héritier mâle. Le roi d'Angleterre, qui possédait une partie de l'Aquitaine, avait des droits sur la couronne de France. Mais les grands seigneurs de France choisirent Philippe de Valois, un prince français, pour nouveau roi. Ainsi naquit une longue période de conflits entre les deux royaumes. La guerre de Cent Ans commençait.

La France était riche et trois fois plus peuplée que l'Angleterre qui ne comptait que 5 millions d'habitants. Mais le roi d'Angleterre était mieux préparé à la guerre. Aux chevaliers français indisciplinés, il opposait une armée bien organisée. La cavalerie et l'infanterie* savaient combattre ensemble. Ses archers* surtout faisaient merveille.

2. L'échec de la chevalerie française

A Crécy, en 1346, puis à Poitiers, en 1356, la **chevalerie** française fut écrasée. Fait prisonnier, le roi Jean le Bon dut payer une lourde rançon et céder des territoires à l'Angleterre.

Au malheur des défaites, s'ajoutaient les misères de la guerre. Des bandes de soldats pillards ravageaient la France affaiblie par des pestes, des famines et des révoltes.

La France connut vingt ans de répit. Du Guesclin, un chef énergique, repoussa les Anglais. Mais les Français se divisèrent à nouveau. Ils se combattaient entre eux. Une armée anglaise en profita pour battre les armées du roi de France à Azincourt, en 1415. Les Anglais occupaient une grande partie de la France : elle semblait alors perdue.

3. Jeanne d'Arc et la renaissance de la France

Une jeune fille de Lorraine, Jeanne d'Arc, n'accepta ni la défaite ni l'occupation anglaise. Bergère âgée de 16 ans à peine, poussée par la foi chrétienne, elle réussit à convaincre le roi Charles VII de reprendre le combat. En 1429, elle reprit Orléans aux Anglais et imposa le roi à tout le royaume. Faite prisonnière à Compiègne, elle fut jugée, puis brûlée vive, comme sorcière, par les Anglais à Rouen, en 1431.

Mais son exemple avait rendu courage aux Français. Le roi réorganisa son royaume et créa une nouvelle armée, bien équipée et utilisant les premiers canons. Charles VII reprit le combat et chassa les Anglais du territoire. En 1453, les Anglais ne conservaient plus que Calais.

Une France nouvelle, autour de son roi, triomphait.

De 1328 à 1453, la France et l'Angleterre s'affrontèrent. Notre pays fut ravagé par la guerre. Jeanne d'Arc réveilla le courage du roi et de la nation. La France fut libérée.

---

4 Les raisons d'une défaite, Azincourt, 1415

En l'absence du roi de France, les autres princes s'étaient chargés de la conduite de cette guerre. [...] Chacun des chefs revendiqua pour lui l'honneur de conduire l'avant-garde. Il en résulta des contestations et pour se mettre d'accord, ils convinrent malheureusement qu'ils se placeraient tous en première ligne. [...] Ils se persuadaient que la vue de tant de princes frapperait les ennemis et leur ferait perdre courage et que pour remporter la victoire, il ne fallait qu'une charge exécutée avec promptitude et hardiesse.

Religieux de Saint-Denis.

5 Jeanne à Orléans, le 8 mai 1429

L'assaut dura depuis le matin jusqu'à huit heures, si bien qu'il n'y avait guère d'espoir de victoire ce jour-là : aussi j'allais m'arrêter et voulais que l'armée se retire vers la cité. Alors elle vint à moi et saisit aussitôt son étendard en main et se plaça sur le rebord du fossé, et, à l'instant qu'elle fut là, les Anglais frémirent et furent terrifiés ; et les soldats du roi reprirent courage et commencèrent à monter, donnant l'assaut contre le boulevard, sans rencontrer la moindre résistance. Alors ce boulevard fut pris et les Anglais qui s'y trouvaient s'enfuirent, et tous furent tués.

Dunois (XVe s.).

--- questions ---

1. Décrivez l'armement des soldats.
Comment est soulignée la défaite du roi de France (doc. 1) ?

2. Expliquez, d'après le doc. 4, les raisons de la défaite des chevaliers français à Azincourt.

3. Quel rôle joua Jeanne d'Arc à Orléans (doc. 5) ?

1 Le voyage à pied vers Jérusalem

La longueur des voyages s'explique par les difficultés matérielles rencontrées. Si l'on excepte celles des grands seigneurs, les montures sont souvent médiocres ou le deviennent après plusieurs mois de voyage : chevaux, mules et bêtes de somme nécessitent des soins constants. Les chaussées romaines, plus ou moins bien entretenues, ne se trouvent point partout. [...]

On utilise souvent des sentiers, notamment à travers les collines. Les pluies et la neige s'en mêlent aussi parfois : l'hiver de 1096-1097, particulièrement rigoureux, freine la progression des croisés à travers les Alpes. [...] La quête de la nourriture est souvent une obsession. Les chevaliers chassent, quand ils le peuvent.

Charles Dufourcq, *L'histoire*, n° 47.

2 Les grandes routes des croisades

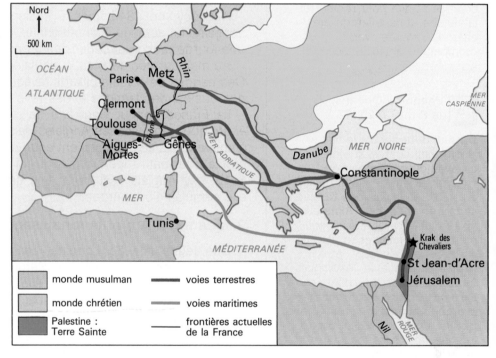

3 L'aventure des voyages sur mer

Sur les navires, les croisés sont entassés. On compte parfois près de mille hommes ou plus sur une seule nef, qui d'ordinaire a deux ponts, mesure une trentaine de mètres de long, une douzaine de large et quelque cinq mètres de haut. Dans les superstructures, dites « châteaux », se trouvant l'une à la poupe, l'autre — moins stable — à la proue, sont placés les passagers de plus grande qualité. Les autres sont installés dans un espace très restreint et de plus en plus inconfortable au fur et à mesure que l'on descend vers le fond de la cale : sur le pont supérieur, dans l'entrepont ou tout en bas, là où les passagers sont mêlés aux animaux. Dans tous les cas, la nuit, les voyageurs sont disposés tête-bêche, avec une couette et une ou deux couvertures pour chaque homme.

Ch. Dufourcq, *L'histoire*, n° 47.

DES CROISADES

4 La prise de Jérusalem en 1099 par Godefroy de Bouillon, chef de la première croisade (miniature du XIVe s.)

5 Le croisé : un pèlerin

1100 : « Tandis que tout le peuple chrétien [...] faisait un affreux ravage des Sarrasins, le duc Godefroy, s'abstenant de tout massacre, [...] dépouilla sa cuirasse et, s'enveloppant d'un vêtement de laine, sortit pieds nus hors des murailles et, suivant l'enceinte extérieure de la ville en toute humilité, rentrant ensuite par la porte qui fait face à la montagne des Oliviers, il alla se présenter devant le sépulcre de notre seigneur Jésus-Christ, fils du Dieu vivant, versant des larmes, prononçant des prières, chantant des louanges de Dieu et lui rendant grâces pour avoir été jugé digne de voir ce qu'il avait toujours si ardemment désiré. »

Albert d'Aix (1100), cité par M. Parisse, *L'histoire*, n° 47.

> **questions**
>
> **1.** Qu'est-ce qu'une croisade ? Un croisé ? Un pèlerin ?
>
> **2.** D'après le doc. 5, pourquoi peut-on dire que le croisé est un pèlerin ?
>
> **3.** Quels sont les différents personnages qui donnent l'assaut à la ville de Jérusalem (doc. 4) ? A quoi sert la tour que l'on voit au centre ? Qui défend la ville ?

6 Pour défendre les conquêtes des croisés : le Krak des chevaliers en Syrie

1 Conques : un monastère
sur la route de Saint-Jacques-de-Compostelle

2 Statue de sainte Foy de Conques
(IXe-Xe s.) :
les pèlerins qui venaient honorer
la sainte étaient très généreux

questions

1. Dessinez une carte de France et tracez
l'itinéraire suivi par le roi Robert (doc. 4).

2. Décrivez la statue de sainte Foy (doc. 2).

3. Où est placé le tympan dans l'église ?
Selon vous, à quoi servait cette sculpture
(doc 3) ?

CONQUES

3 | **Le tympan de Conques :**

la scène du centre : le Christ est sur son trône.
A gauche, les élus au Paradis : il lève la main pour les accueillir.
A droite, les damnés : il semble les écarter de sa main baissée.

la scène du bas : à droite, un monstre avalant des hommes représente l'Enfer.
Plus à droite, le démon dans son royaume.
A gauche, le Paradis.

4 | **Le pèlerin au Moyen Age**

Lorsqu'il voulut se préparer à la mort, le roi Robert, pendant le Carême, partit avec sa cour rendre ses devoirs aux saints « unis à lui dans le service de Dieu » ; un long périple le conduisit à Bourges, à Sauvigny, à Brioude, à Saint-Gilles-du-Gard, à Castres, à Toulouse, à Sainte-Foy-de-Conques, à Saint-Géraud-d'Aurillac.
Quel amateur d'art roman ne choisirait pas aujourd'hui le même itinéraire ?

G. Duby, *Le Temps des cathédrales*, Gallimard.

1 | Aigues-Mortes : une ville nouvelle fondée par Saint Louis

2 | Le pont Valentré à Cahors

AU MOYEN AGE

3 Métiers du Moyen Age (enluminure du xvᵉ s.)

4 La complainte des tisseuses de soie

Toujours drap de soie tisserons
Et n'en serons pas mieux vêtues,
Et toujours serons pauvres et nues
Et toujours faim et soif aurons.
Jamais tant gagner ne saurons
Que mieux en ayons à manger.
Du pain avons à partager
Au matin peu et au soir moins [...]
Et nous sommes en grande misère,
Mais s'enrichit de nos salaires
Celui pour qui nous travaillons.
Des nuits grande partie veillons
Et tout le jour pour y gagner.
On nous menace de rouer
Nos membres, quand nous reposons ;
Aussi reposer nous n'osons.

Chrétien de Troyes, *Le Chevalier au lion* (xiiᵉ s.).

questions

1. Comment le pont de Cahors est-il fortifié (doc. 2) ? Pourquoi ces fortifications ? Localisez Cahors sur une carte.

2. Relevez les différents types de commerce sur le doc. 3.

3. De quoi se plaignent les tisseuses de soie (doc. 4) ?

SAINT LOUIS, LE PIEUX CHEVALIER
(1226-1270)

1 Un roi pieux

Sa sainteté s'est manifestée aux yeux de ses contemporains de trois manières. Il apparaît d'abord comme ayant imité le Christ [...] Que met-on à l'honneur de Louis ? Les visites aux lépreux, le lavement des pieds des pauvres [...].

Ses contemporains admirèrent particulièrement chez Saint Louis qu'il ne dise jamais du mal de personne ni ne jure par le Diable, qu'il soit serviable et près de tout le monde.

J. Le Goff, in *L'histoire*, n° 40.

2 Saint Louis et les pauvres (enluminure du XIVᵉ s.)

3 Embarquement de Saint Louis pour la croisade (1249) (enluminure du XIVᵉ s.)

4 L'œuvre de Saint Louis

(Louis IX) institua des enquêteurs royaux [...]; il s'efforça d'arrêter les guerres privées [...]. Il veilla surtout à la justice ; [...] il assura une bonne monnaie [...]. Mais toutes ces réformes furent empreintes d'une parfaite modération.

M. Mourre, *Dictionnaire encyclopédique d'histoire*, Bordas.

---

questions

1. Pourquoi disait-on de Saint Louis qu'il était un roi pieux (doc. 1) ?

2. Décrivez le bateau qui transporte le roi (doc. 3).

3. Quelles furent les réalisations de Saint Louis d'après tous les documents de cette page ?

SAINT LOUIS ET LOUIS XI

5 **Le portrait de Louis XI par Philippe de Commynes**

Entre tous les princes que j'ai connus, le plus sage à se tirer d'un mauvais pas, c'était le roi Louis XI, le plus humble en paroles et en habits, et celui qui travaillait le plus à gagner un homme, qui pouvait le servir ou qui pouvait lui nuire. Et quant à ceux qu'il avait chassés en temps de prospérité, il les rachetait bien cher quand il en avait besoin. Il était naturellement ami des gens de moyen état et ennemi de tous les grands qui pouvaient se passer de lui. Nul homme ne prêta jamais tant l'oreille aux gens ni ne s'informa de tant de choses, ni ne voulut connaître tant de gens. [...] Et quand ses paroles lui avaient valu quelque dommage il disait : je sais bien que ma langue m'a porté grand dommage.

D'après A. Pauphilet, *Historiens et chroniqueurs*, Gallimard.

6 **Louis XI et Charles le Téméraire à la bataille de Montlhéry (1465)**

Après les ruines et les malheurs de la guerre de Cent Ans, la France sous Louis XI connut la prospérité.

Louis XI s'attacha à augmenter le pouvoir du roi et à abaisser celui des seigneurs. Le duc de Bourgogne, Charles le Téméraire, le plus puissant prince d'Occident, lui résistait. Plus faible que lui, Louis XI réussit à le vaincre par la ruse : il paya les Suisses, les Lorrains et les Allemands pour qu'ils le combattent.

En 1477, lorsque Charles le Téméraire fut tué, Louis XI avait réalisé l'unité de la France.

7 **L'action de Louis XI**

(Louis XI) améliora les routes, établit les premières postes [...] attira les marchands étrangers en leur accordant des privilèges, favorisa les foires de Lyon, l'établissement de l'imprimerie en France, la création des premières manufactures de soieries.

M. Mourre, *Dictionnaire encyclopédique d'histoire*, Bordas.

---

questions

1. Quelles furent les réalisations de Louis XI, d'après les documents de cette page ?

2. Le roi est-il présenté dans le doc. 5 comme un grand seigneur ? Comment gouvernait-il ?

LA FRANCE DE L'ANCIEN RÉGIME

La Renaissance
Les Temps modernes
L'Ancien Régime

Repas de paysans.

Huile sur toile (1642) de Le Nain.

18 « BEAU COMME LA GRÈCE ET ROME »

1 *La création de l'homme,* peinte sur la voûte de la chapelle Sixtine, à Rome, par Michel-Ange (1475-1564)

2 Un château de la Loire : Chambord (XVIe s.)

3 | *David,* sculpture de Michel-Ange

4 | *Sainte Anne, la Vierge et l'enfant Jésus,* tableau de Léonard de Vinci (1452-1519)

―――― questions ――――

1. Quels sont les points communs entre le doc. 1 et le doc. 3 ?

2. Observez et décrivez la disposition des personnages sur le doc. 4.

3. En quoi le château de Chambord (doc. 2) diffère-t-il d'un château du Moyen Age ?

1. Un art nouveau venu d'Italie

Au XVe siècle, l'Italie était divisée, mais ses marchands dominaient le grand commerce en Europe et en Méditerranée. Des villes comme Venise ou Florence étaient devenues immensément riches. De puissantes familles de marchands ou de banquiers, comme les Médicis à Florence, dépensaient des fortunes pour embellir leurs palais et leur cité. L'Italie était le paradis des artistes.

Les peintres et les sculpteurs du Moyen Age représentaient toujours des sujets religieux. Les artistes italiens s'inspirèrent de la Grèce ou de la Rome antiques. Ils peignaient et sculptaient le corps humain dans sa perfection. Raphaël et Michel-Ange y réussirent parfaitement.

Léonard de Vinci a peint l'enfant Jésus comme un enfant ordinaire ; Marie, sa mère, a le regard doux d'une maman. Cet art s'inspirait aussi de la nature. Quelle différence avec les sujets que les artistes représentaient au XIVe siècle, au moment de la Grande Peste !

2. La Renaissance en France

Au cours des guerres qui les conduisirent en Italie à la fin du XVe et au début du XVIe siècle, les rois de France furent émerveillés par cet art nouveau. Ils firent venir en France des artistes italiens : Léonard de Vinci y passa les dernières années de sa vie. Le roi François Ier, comme le pape ou les grands princes italiens, s'entoura d'artistes et dépensa pour l'art d'immenses fortunes.

En France, l'art de bâtir changea à cette époque. Après les forteresses du Moyen Age, les architectes de la Renaissance bâtirent dans les pays de Loire des palais somptueux, comme à Chambord ou à Blois. De larges baies s'ouvrirent sur les façades. A l'intérieur, des tableaux, des tapisseries, ornèrent les murs : comme dans l'art italien, les artistes représentèrent des scènes qui rappelaient l'**Antiquité** grecque et romaine ou qui s'inspiraient de la nature.

Après François Villon, au XVe siècle, les poètes et les écrivains de la Renaissance furent parmi les premiers grands auteurs écrivant en langue française. On apprécie encore aujourd'hui les poèmes de Du Bellay et de Ronsard. C'est aussi à cette époque que Rabelais imagina les aventures du géant Pantagruel qui devait tout apprendre et tout savoir, à la manière des hommes cultivés de ce temps.

L'art de la Renaissance est né en Italie. Les peintres et les sculpteurs du XVe et du XVIe siècles s'inspiraient des artistes grecs et romains de l'Antiquité. Léonard de Vinci et Michel-Ange furent parmi les plus grands.

19 L'ÉGLISE CONTESTÉE, L'EUROPE DÉCHIRÉE

1 Propagande protestante

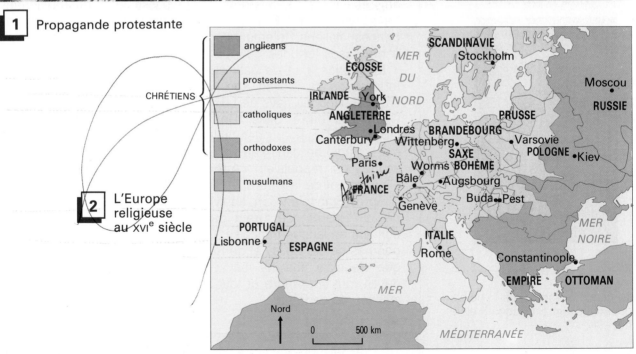

CHRÉTIENS
- anglicans
- prostestants
- catholiques
- orthodoxes
- musulmans

2 L'Europe religieuse au XVIᵉ siècle

Carte : SCANDINAVIE — Stockholm, ÉCOSSE, IRLANDE, York, ANGLETERRE, Londres, Canterbury, MER DU NORD, PRUSSE, BRANDEBOURG, Wittenberg, Varsovie, POLOGNE, Kiev, Moscou, RUSSIE, SAXE, BOHÈME, Worms, Paris, Bâle, Augsbourg, FRANCE, Genève, Buda-Pest, PORTUGAL, Lisbonne, ESPAGNE, ITALIE, Rome, Constantinople, MER NOIRE, EMPIRE OTTOMAN, MER MÉDITERRANÉE

Nord — 0 — 500 km

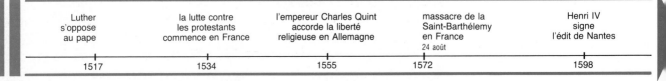

Luther s'oppose au pape	la lutte contre les protestants commence en France	l'empereur Charles Quint accorde la liberté religieuse en Allemagne	massacre de la Saint-Barthélemy en France 24 août	Henri IV signe l'édit de Nantes
1517	1534	1555	1572	1598

De nombreux évêques ne sont jamais entrés dans leur ville, n'ont pas vu leur église, ni visité leur diocèse...

Je les appelle mercenaires étrangers, parce qu'ils ne recherchent pas le salut des fidèles, mais seulement l'accroissement de leurs revenus...

Quant aux cardinaux, ils ont le cœur si fier, les paroles si arrogantes, les gestes si insolents que, si un imagier voulait représenter l'orgueil, il ne pourrait mieux faire qu'en mettant devant les yeux l'image d'un cardinal.

ÉRASME (1469-1536).

—————— lexique ——————

guerre civile :
guerre entre les habitants d'un même pays.

hérétique :
celui qui refuse les lois de l'Église catholique.

—————— questions ——————

1. Décrivez les deux groupes qui s'affrontent sur la gravure (doc. 1). De quel côté penche la balance ? Que veulent montrer les protestants ?

2. Que reproche Érasme aux évêques (doc. 3) ?

3. A l'aide de la carte, nommez les pays et les régions où le protestantisme s'est implanté (doc. 2).

1. L'Église contestée

Au XVIᵉ siècle, la foi était très vive en France et dans tout l'Occident. Tout le monde était croyant. Tous continuaient à obéir à l'**Église.** Mais, souvent, les hommes d'Église ne respectaient plus l'enseignement du Christ ; le **pape** songeait surtout à embellir Rome, les évêques vivaient comme de riches seigneurs, les prêtres des paroisses étaient laissés dans l'ignorance.

De nombreux chrétiens n'acceptaient plus cette situation. Ils voulaient réformer l'Église. Par l'étude de la Bible et des Évangiles, ils cherchaient à retrouver la simplicité et la pureté des débuts du christianisme. On les appela les « réformés » et, plus tard, les « protestants ».

2. La chrétienté divisée

Martin Luther, en Allemagne, et Jean Calvin, en France, s'opposèrent au pape. L'Église les rejeta. Mais de nombreux fidèles les suivirent. Ils allaient écouter la parole de Dieu dans des temples simples, sans autel, ni statues, ni vitraux.

Le pape demanda alors aux rois de punir ces **hérétiques.** En France, le roi François Iᵉʳ les pourchassa dès 1534. Des protestants furent brûlés. Mais la violence royale n'empêcha pas la nouvelle religion de s'étendre. En Allemagne, l'empereur Charles Quint ne réussit pas à triompher des protestants, partisans de Luther. En 1555, il accorda aux princes la liberté de choisir la religion de leur État. L'Europe chrétienne se divisa.

3. Les guerres de Religion

En France, catholiques et protestants ne cessaient de se combattre. De 1562 à 1598, huit guerres de Religion dévastèrent le pays. A la violence des uns répondait la violence des autres. A Paris, le 24 août 1572, le jour de la Saint-Barthélemy, trois mille protestants furent massacrés.

Bien vite, la querelle religieuse se transforma en querelle politique. Le roi Henri III n'ayant pas d'héritier, la couronne devait revenir au prince Henri de Navarre, chef des protestants. Les catholiques, unis dans une « Sainte Ligue », ne l'acceptèrent pas. Ce fut la **guerre civile.**

Devenu roi sous le nom de Henri IV, Henri de Navarre abandonna le protestantisme. Mais, en 1598, par l'édit de Nantes, il accorda la liberté religieuse aux protestants. Henri IV apportait ainsi la paix religieuse à la France.

Au XVIᵉ siècle des chrétiens protestèrent contre les abus de l'Église : on les appela les protestants.
Pendant les guerres de Religion, catholiques et protestants se sont violemment affrontés.
Par l'édit de Nantes, signé en 1598, Henri IV mit fin à cette guerre civile : chacun pouvait pratiquer sa religion.

20

LA FORCE DE L'ESPRIT SCIENTIFIQUE

1 Une imprimerie au XVIᵉ siècle

2 La connaissance scientifique du corps humain (enluminure du XVIᵉ s.)

3 L'esprit scientifique

Connaissant la force et les actions du feu, de l'eau, de l'air, des astres, des cieux et de tous les autres corps qui nous environnent, aussi distinctement que nous connaissons les divers métiers de nos actions, [...] (nous pourrions) nous rendre comme maîtres et possesseurs de la nature.

DESCARTES (1596-1650).

1. Observer pour connaître

Au XVIe siècle, se développa le goût du savoir scientifique. On commença à faire des expériences : à partir d'observations, des explications nouvelles furent proposées.

Nicolas Copernic, le premier, démontra que la Terre tourne autour du Soleil. Grâce à la dissection, la connaissance du corps humain progressa beaucoup. Ainsi la chirurgie fit-elle de grands progrès. Ambroise Paré apprit à ligaturer les vaisseaux sanguins pour éviter les fortes hémorragies lors des amputations. Puis, au XVIIe siècle, on découvrit la circulation du sang : jusque-là, on pensait que le sang était immobile dans les vaisseaux.

Ces hommes de science, qui étaient souvent aussi des hommes de lettres ou des artistes, proposaient de nouvelles explications du monde qui s'opposaient aux vieilles idées ; on les appela les humanistes. Ce n'est que peu à peu que leurs connaissances furent admises par tous.

Au XVIIe siècle, beaucoup de savants s'intéressèrent aux techniques. En 1642, à l'âge de 19 ans, Pascal fabriqua la première machine à calculer. Il fut à la fois un grand écrivain, un mathématicien et un physicien connu pour ses expériences sur la pression atmosphérique*.

A la fin du siècle, un autre Français, Denis Papin, fut le premier à utiliser la force de la vapeur. En Angleterre, Newton étudia le mouvement des planètes et expliqua l'attraction terrestre*.

Toutes ces découvertes préparaient en Europe la naissance de l'industrie.

2. Imprimer pour communiquer

En Europe, le premier livre fut imprimé au XVe siècle : c'était une bible. L'usage du papier, de la presse et des lettres de métal que l'on pouvait réutiliser, fut une grande révolution. Gutenberg en Allemagne, vers 1450, fut un des premiers à utiliser cette technique.

Avec la multiplication des livres, les savoirs nouveaux se répandirent. Les savants, les écrivains, purent plus facilement échanger leurs idées ; chacun pouvait s'enrichir du savoir des autres, et cela accéléra encore les progrès.

En 1631, le premier journal de France parut : c'était « la Gazette » de Théophraste Renaudot. L'habitude de publier des nouvelles, si importante aujourd'hui, était née.

---

4 Copernic comprend le système solaire

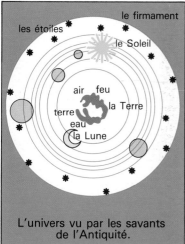

L'univers vu par les savants de l'Antiquité.

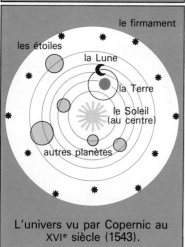

L'univers vu par Copernic au XVIe siècle (1543).

--- questions ---

1. D'après le doc. 1, quelles sont les étapes de la réalisation d'une gravure ?

2. Comment se déroule la leçon d'anatomie (doc. 2) ? Décrivez la scène.

3. Pourquoi Descartes propose-t-il d'étudier les forces du feu, de l'eau, de l'air (doc. 3) ?

La volonté d'expliquer scientifiquement notre environnement, de connaître le corps humain, apparut au XVIe siècle. Au même moment, le développement de l'imprimerie et du livre, à partir de 1450, permit de faire connaître les idées et les savoirs nouveaux.

A LA DÉCOUVERTE DU MONDE

21

1 Exploitation d'une mine en Amérique, au XVIᵉ siècle

2 Le port de Lisbonne au XVIᵉ siècle

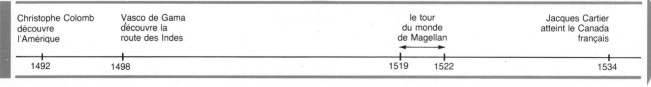

Christophe Colomb découvre l'Amérique	Vasco de Gama découvre la route des Indes		le tour du monde de Magellan		Jacques Cartier atteint le Canada français
1492	1498		1519	1522	1534

3 Le travail forcé des Indiens

Les Espagnols n'eurent d'autres soins de ces pauvres habitants que de les envoyer aux mines pour tirer l'or à grand peine [...]. Mais ils ne leur donnèrent à manger que des herbes et choses de nulle subsistance. Ainsi mouraient tous les enfants ; les hommes mouraient au travail et de faim dans les mines, et les femmes en labeur des terres ; ainsi se perdait l'île en peu de temps.

Las CASAS, évêque d'Hispaniola (Haïti) au XVIe siècle.

———— lexique ————

galion :
navire espagnol qui faisait le trafic entre l'Europe et les colonies d'Amérique au XVIe siècle.

portulan :
carte marine de la fin du Moyen Age.

———— questions ————

1. Faites une description du travail des Indiens. A l'aide du doc. 1, montrez qu'ils sont des esclaves.

2. Décrivez les différentes activités du port de Lisbonne au XVIe siècle (doc. 2).

3. Pourquoi les conquérants firent-ils venir des esclaves d'Afrique dans leurs colonies d'Amérique (doc. 3) ?

1. Des mondes ignorés

Ce n'est qu'au début du XVIe siècle que les hommes découvrirent toute l'étendue du monde. Les Européens ne connaissaient ni l'Amérique, ni les terres de l'hémisphère Sud. L'univers des marins s'arrêtait aux rivages de la Méditerranée et de la mer du Nord.

Pourtant, ils voulaient atteindre les Indes pour se procurer de l'or et des épices. Une série d'inventions permit aux navigateurs de se lancer sur les océans inconnus : la boussole pour s'orienter, l'astrolabe pour déterminer la position d'un point sur la Terre. L'utilisation des **portulans** permettait de mieux se repérer sur les mers et les côtes. Les marins disposaient aussi d'un navire à trois voiles, capable de remonter au vent et d'affronter la violence de l'océan Atlantique, la caravelle.

2. Les grands voyages

Dès le milieu du XVe siècle, les Portugais descendirent le long des côtes africaines. En 1497, Vasco de Gama franchit le cap de Bonne Espérance. En 1498, il atteignit les Indes.

Christophe Colomb, un Génois au service de l'Espagne, savait que la Terre était ronde. Il voulut gagner les Indes par l'Ouest, en traversant l'Atlantique. Le 12 octobre 1492, il aperçut des terres nouvelles. Il crut débarquer aux Indes : c'était l'Amérique.

L'expédition du Portugais Magellan, qui fit le tour du monde de 1519 à 1522, prouva définitivement que la Terre était ronde.

Jacques Cartier prit possession du Canada au nom du roi de France, François Ier, en 1534.

3. L'exploitation du Nouveau Monde

Les Espagnols étendirent rapidement leur domination sur l'Amérique. Cortès fit la conquête de l'empire indien des Aztèques, au Mexique. Pizarre détruisit celui des Incas.

Les conquérants commencèrent par piller les trésors des Indiens. Puis ils exploitèrent les mines d'argent, comme celle du Potosi, au Pérou. Les Indiens furent réduits en esclavage. Victimes de mauvais traitements, ils mouraient par milliers. En moins de cent ans, la population de l'Amérique diminua des trois quarts. Il fallut alors faire venir des esclaves d'Afrique.

Chaque année, des **galions** chargés de métaux précieux traversaient l'Atlantique et arrivaient à Séville, en Espagne : l'Europe s'enrichissait.

A la fin du XVe siècle, les Européens se lancèrent à la conquête du monde.
En 1492, Christophe Colomb découvrit l'Amérique.
Les conquérants exploitèrent les terres et les mines du Nouveau Monde.
L'Europe s'enrichit par cette exploitation.

22   # LA MONARCHIE ABSOLUE

1   François Ier en habit de sacre (tableau de 1520)

2   Lettre de Richelieu au roi (Louis XIII), 1638

Lorsque Votre Majesté se résolut de me donner l'entrée de ses Conseils et sa confiance pour la direction de ses affaires, je puis dire avec vérité que les Huguenots* partageaient l'État avec elle, que les Grands se conduisaient comme s'ils n'eussent pas été ses sujets, et les plus puissants gouverneurs des provinces comme s'ils eussent été souverains en leurs charges.
Je lui promis d'employer toute mon industrie et toute autorité qu'il lui plaisait de me donner pour ruiner le parti huguenot, rabaisser l'orgueil des Grands, réduire tous ses sujets en leur devoir et relever son nom dans les nations étrangères au point où il devait être.

3   Louis XIV tenant conseil (tableau de 1672)

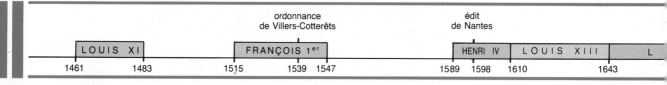

ordonnance de Villers-Cotterêts   édit de Nantes

| LOUIS XI | | FRANÇOIS 1er | | | HENRI IV | LOUIS XIII | L |

1461   1483   1515   1539 1547   1589 1598 1610   1643

4 Le droit divin

Dieu établit les rois comme ses ministres et règne par eux sur les peuples. C'est pour cela [...] que le trône royal n'est pas le trône d'un homme, mais le trône de Dieu même [...].
Il paraît de tout cela que la personne des rois est sacrée et qu'attenter sur eux, c'est un sacrilège [...]. On doit donc obéir au prince par principe de religion et de conscience [...].
Le service de Dieu et le respect pour les rois sont choses unies.

BOSSUET (1627-1704),
L'Écriture Sainte, Livre III.

—————— lexique ——————

étiquette :
ensemble des règles que chacun devait respecter à la Cour.

monarchie absolue :
l'ensemble du pouvoir est détenu par une seule personne : le roi. Louis XIV était un monarque absolu.

—————— questions ——————

1. Recherchez la définition du mot « huguenot ». Quelle fut l'action de Richelieu, ministre de Louis XIII (doc. 2) ?

2. Pourquoi les sujets doivent-ils obéir aux rois, d'après les doc. 2 et 4 ?

3. Comment l'artiste a-t-il mis en valeur l'autorité royale (doc. 3) ?

1. Vers la monarchie absolue

Au cours du XVIe et du XVIIe siècle, les rois de France accrurent leur pouvoir. Leur volonté était la loi du royaume. François Ier se faisait obéir en disant : « Car tel est mon bon plaisir » ; les rois étaient devenus des souverains absolus ; on prit l'habitude de les appeler « Votre Majesté ».

Par la cérémonie du sacre, les rois devenaient les représentants de Dieu dans leur royaume. Ils étaient rois de droit divin. S'opposer au roi, c'était donc s'opposer à Dieu.

Les rois veillaient à l'unification du pays. L'ordonnance* de Villers-Cotterêts (1539) imposa la rédaction des actes officiels du royaume en français. Chaque curé dans sa paroisse tenait un registre des naissances, des mariages et des décès. Dans les provinces, des représentants du roi, les intendants, s'occupaient de la justice, de la police et des finances.

Les grands seigneurs supportaient mal l'absolutisme du roi. Ils regrettaient les temps du Moyen Age où leurs ancêtres commandaient seuls sur leurs terres. Plusieurs fois, ils se révoltèrent. Mais, toujours, la monarchie trouva de grands serviteurs pour la défendre. Ainsi, Richelieu, ministre de Louis XIII, brisa tous ceux qui s'opposaient au pouvoir royal.

2. Louis XIV : roi de France de 1643 à 1715

Louis XIV fut le modèle des rois absolus. Il gouverna seul. Il aurait même dit : « L'État, c'est moi ! ». S'il eut de grands serviteurs, comme Colbert, jamais il n'abandonna ses pouvoirs à un ministre. On l'appela le Roi-Soleil.

Il disciplina les grands seigneurs. Il les réunit à la cour du château de Versailles. Là, il les obligeait à respecter l'**étiquette** et les occupait à des fêtes et des jeux.

Par souci d'ordre et d'unité, Louis XIV n'acceptait pas la division religieuse de la France. En 1685, il annula l'édit de Nantes, signé par Henri IV. Les protestants durent se convertir. 300 000 d'entre eux préférèrent quitter le royaume. Ceux qui restèrent, furent persécutés. Certains se révoltèrent.

Pendant tout le règne du Roi-Soleil, la France fut la première puissance d'Europe. Cependant les guerres ne cessaient pas ; elles permirent d'agrandir le royaume, mais elles épuisèrent le pays.

vocation de
lit de Nantes

| S | X I V | LOUIS XV |
| 1685 | | 1715 |

Depuis Louis XI, au XVe siècle, les rois de France étaient devenus peu à peu des souverains absolus.
Louis XIV fut le plus puissant de ces rois. Il prenait seul les grandes décisions et imposait son autorité à tous.

« LOUIS XIV ET 20 MILLIONS DE FRANÇAIS »

1 Une famille riche sous l'Ancien Régime (*Le Goût* par Abraham Bosse)

2 Le paysan accablé

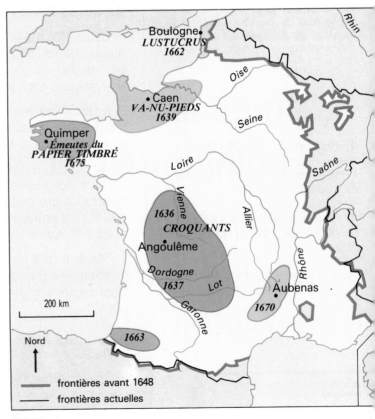

Boulogne•
LUSTUCRUS
1662

• Caen
VA-NU-PIEDS
1639

Quimper
• Émeutes du
PAPIER TIMBRÉ
1675

1636
CROQUANTS

Angoulême•

Dordogne
1637   Lot

Aubenas
•
1670

200 km

1663

Nord

⎯⎯ frontières avant 1648

⎯⎯ frontières actuelles

3 Quelques révoltes paysannes au XVIIe siècle

4 | Les malheurs du peuple

Vos peuples, Sire, que vous devriez aimer comme vos enfants [...] meurent de faim. La culture des terres est presque abandonnée ; les villes et la campagne se dépeuplent ; tous les métiers languissent, et ne nourrissent plus les ouvriers. Tout commerce est anéanti [...]. Au lieu de tirer de l'argent de ce pauvre peuple, il lui faudrait faire l'aumône et le nourrir [...]. Il est plein d'aigreur et de désespoir. La sédition s'allume peu à peu de toutes parts.

FÉNELON (1651-1715),
Lettre à Louis XIV.

— lexique —

clergé :
c'est l'ensemble des hommes d'Église.

crise :
sous l'Ancien Régime, on parle de crise lorsque la nourriture est insuffisante pour nourrir tous les hommes.

jacquerie :
révolte paysanne ; elle éclatait souvent en période de crise.

ordres :
sous l'Ancien Régime, les habitants du royaume étaient classés en trois catégories : la noblesse, le clergé et le tiers état.

tiers état :
troisième ordre ou état de la nation qui rassemble ceux qui n'appartiennent ni au clergé, ni à la noblesse.

— questions —

1. Quels éléments du doc. 1 montrent la richesse de cette famille ?
Comment sont habillés les différents personnages ?
Que se prépare-t-on à manger ?

2. Comment le paysan est-il habillé sur le doc. 2 ?
Qu'apporte-t-il au seigneur ?
Pourquoi ? (Comparez avec le doc. 2 de la page 43.)

1. Noblesse, clergé, tiers état

Au temps de Louis XIV, plus de 8 Français sur 10 vivaient à la campagne. La société se divisait en trois **ordres.**

Il y avait d'abord la noblesse. On était noble de père en fils. Les descendants des seigneurs du Moyen Age possédaient des domaines agricoles. Certains vivaient en ville. Les plus grands étaient à la cour du roi et occupaient les places importantes. Mais la plupart des nobles vivaient sur leurs petits domaines.

Au sein du **clergé,** les évêques étaient souvent des nobles, mais la plupart des curés vivaient comme les paysans.

La masse du peuple constituait le **tiers état.** Les paysans étaient de loin les plus nombreux. Certains étaient riches, mais beaucoup connaissaient la misère.
En ville, des bourgeois s'enrichissaient dans le commerce et l'artisanat ; il y avait surtout les innombrables ouvriers ou compagnons, les serviteurs, et enfin, une foule de pauvres.

La noblesse et le clergé ne payaient pas d'impôts.

2. Un siècle de crises

La France était la grande puissance de l'Europe au XVIIe siècle. La cour de Louis XIV était la plus brillante. Mais pour l'immense majorité des sujets du roi, la vie était dure. Pour payer le luxe de Versailles et les guerres incessantes, les impôts augmentaient régulièrement.

Dans les campagnes, les progrès s'étaient arrêtés depuis le Moyen Age. Bien souvent les récoltes ne suffisaient plus pour assurer la nourriture. Si, dans une région, des gelées ou des pluies de printemps trop abondantes réduisaient la production de blé, la famine s'installait : des paysans partaient alors mendier sur les routes. Il fallait pourtant continuer à payer les impôts : ceux que l'on devait au roi — la taille —, ceux que l'on devait au seigneur — les droits seigneuriaux —, ceux que l'on devait à l'Église — la dîme. Au cours de ces périodes, le nombre des morts dépassait largement le nombre des naissances. Mais lors des années de bonne récolte, la population augmentait.

Lorsque la misère était trop grande dans une province, le peuple se révoltait contre les nobles, contre les collecteurs d'impôts. Aussi, presque toutes les régions de France connurent-elles des **jacqueries** au cours du XVIIe siècle.

Dans la société de l'Ancien Régime, il y avait des différences entre les habitants du royaume selon leur naissance, mais aussi selon leur fortune.
Les paysans constituaient les trois quarts de la population. L'augmentation des impôts, les crises, les conduisaient à la révolte.

24 LE POIDS DE LA FRANCE AU XVIIIe SIÈCLE

1 Le château de Schoenbrunn en Autriche

2 Le commerce mondial au XVIIIe siècle

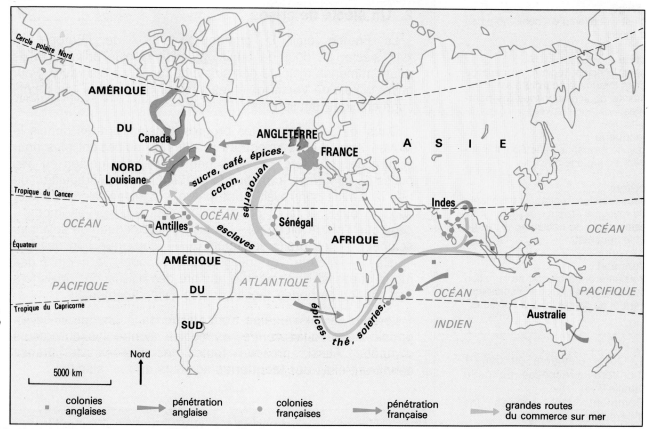

AMÉRIQUE DU NORD
Canada
Louisiane
Cercle polaire Nord
Tropique du Cancer
Équateur
Tropique du Capricorne

ANGLETERRE
FRANCE
ASIE

sucre, café, épices, coton, verroterie
esclaves
Antilles
Sénégal
AFRIQUE
Indes

épices, thé, soieries

AMÉRIQUE DU SUD

OCÉAN PACIFIQUE
OCÉAN ATLANTIQUE
OCÉAN INDIEN
OCÉAN PACIFIQUE

Australie

Nord
5000 km

- colonies anglaises
- pénétration anglaise
- colonies françaises
- pénétration française
- grandes routes du commerce sur mer

18e s. aussi

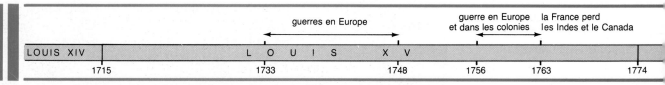

guerres en Europe

guerre en Europe et dans les colonies

la France perd les Indes et le Canada

LOUIS XIV	L O U I S X V		
1715	1733	1748	1756	1763	1774

3 Voltaire (1694-1778) contre les colonies

Les troupes qui ont hasardé un combat pour sauver Québec [...] ont été battues et presque détruites, malgré les efforts du général Montcalm tué dans cette journée, et très regretté en France. On a perdu ainsi en un seul jour quinze cents lieues de pays. Ces quinze cents lieues, dont les trois quarts sont des déserts glacés, n'étaient pas peut-être une perte réelle. Le Canada coûtait beaucoup, et rapportait très peu. Si la dixième partie de l'argent englouti dans cette colonie avait été employée à défricher nos terres incultes en France, on aurait fait un gain considérable.

Précis du siècle de Louis XV, 1768.

—————— lexique ——————

colonies :
territoires conquis et exploités par les Européens après les Grandes Découvertes.

—————— questions ——————

1. Regardez la façade du château de Schoenbrunn (doc. 1) et comparez-la avec celle du château de Versailles (doc. 2, p. 76).

2. Voltaire est contre les colonies (doc. 3). Pourquoi ?

3. Nommez les régions du monde où l'Angleterre et la France s'opposent au XVIIIe siècle.

LA RÉVOLUTION
FRANÇAISE

U I S   X V I

1792

1. « Paris, modèle des nations étrangères »

Louis XIV mourut en 1715. Le XVIIIe siècle venait de commencer. Ce fut pour la France une période de grand rayonnement. Partout en Europe, les princes imitaient les Français. On construisit en Autriche, en Russie, des châteaux sur le modèle de Versailles. La langue française était parlée par tous les gens cultivés d'Europe : « Voyagez de Lisbonne à Petersbourg et de Stockholm à Naples en parlant français, vous vous faites entendre partout », disait Frédéric II, le roi de Prusse.

Les produits de France étaient aussi les plus renommés : les plus grandes familles d'Europe voulaient des meubles de style Louis XV, des tapisseries de la manufacture des Gobelins. Les élégantes des cours étrangères s'habillaient à la mode de Paris.

2. La puissance française

Depuis les Grandes Découvertes, les Français avaient fondé des **colonies** : en Amérique, ils dominaient le Canada, la Louisiane et les Antilles. Aux Indes, Dupleix commençait à bâtir un empire commercial.

Sur ces terres et ces mers lointaines, la France se heurtait à l'Angleterre. Pendant la guerre qui les opposa, la France ne défendit pas suffisamment ses colonies. Elle perdit le Canada et ses territoires indiens par le **traité** de Paris, en 1763. L'Angleterre avait mis toutes ses forces pour développer sa puissance dans le monde : elle allait devenir la première nation commerçante de la Terre.

3. Le grand commerce

Les grands ports européens de l'Atlantique pratiquaient le commerce avec les Indes ou les colonies d'Amérique. Les marchands anglais, français, hollandais, s'opposaient dans ce trafic qui rapportait des fortunes. En France, c'est à Nantes, Bordeaux, Saint-Malo, qu'arrivaient le café, le tabac, le sucre.

Pour travailler dans les plantations de canne à sucre des Antilles, on utilisait des esclaves noirs que des bateaux, partis de France, allaient chercher en Afrique. De là, ils allaient aux Antilles d'où ils revenaient chargés de sucre, de rhum et d'épices.

Peu de gens en Europe s'intéressaient au sort des esclaves. L'intérêt des planteurs, des marchands et des consommateurs de produits nouveaux était le plus fort. Ce n'est qu'en 1848 que l'esclavage fut supprimé.

Le prestige de la France était grand en Europe au XVIIIe siècle.
Pourtant, dans le monde, l'Angleterre avait pris peu à peu la première place en développant ses colonies.
Le commerce avec les pays lointains et l'exploitation massive des esclaves noirs en Amérique et aux Antilles enrichit l'Europe.

COLBERT

1 Louis XIV et Colbert fondent l'Académie des sciences et l'Observatoire. Avec Colbert, l'État s'intéresse à la science

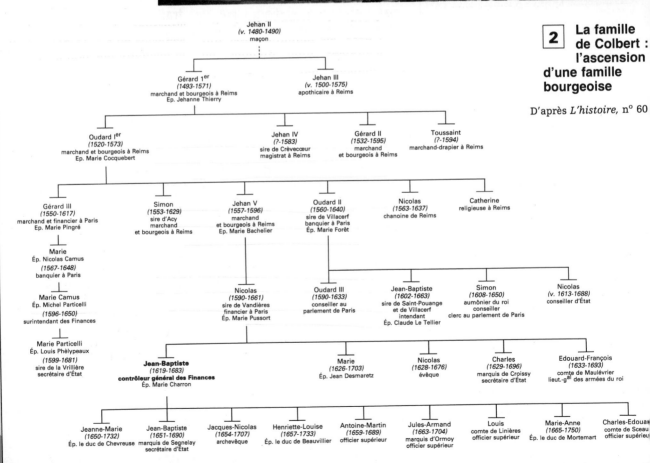

2 La famille de Colbert : l'ascension d'une famille bourgeoise

D'après *L'histoire*, n° 60

Jehan II
(v. 1480-1490)
maçon

Gérard 1er
(1493-1571)
marchand et bourgeois à Reims
Ép. Jehanne Thierry

Jehan III
(v. 1500-1575)
apothicaire à Reims

Oudard 1er
(1520-1573)
marchand et bourgeois à Reims
Ép. Marie Cocquebert

Jehan IV
(?-1583)
sire de Crèvecœur
magistrat à Reims

Gérard II
(1532-1595)
marchand
et bourgeois à Reims

Toussaint
(?-1594)
marchand-drapier à Reims

Gérard III
(1550-1617)
marchand et financier à Paris
Ép. Marie Pingré

Simon
(1553-1629)
sire d'Acy
marchand
et bourgeois à Reims

Jehan V
(1557-1596)
marchand
et bourgeois à Reims
Ép. Marie Bachelier

Oudard II
(1560-1640)
sire de Villacerf
banquier à Paris
Ép. Marie Forêt

Nicolas
(1563-1637)
chanoine de Reims

Catherine
religieuse à Reims

Marie
Ép. Nicolas Camus
(1567-1648)
banquier à Paris

Nicolas
(1590-1661)
sire de Vandières
financier à Paris
Ép. Marie Pussort

Oudard III
(1590-1633)
conseiller au
parlement de Paris

Jean-Baptiste
(1602-1663)
sire de Saint-Pouange
et de Villacerf
intendant
Ép. Claude Le Tellier

Simon
(1608-1650)
aumônier du roi
conseiller
clerc au parlement de Paris

Nicolas
(v. 1613-1688)
conseiller d'État

Marie Camus
Ép. Michel Particelli
(1596-1650)
surintendant des Finances

Marie Particelli
Ép. Louis Phélypeaux
(1599-1681)
sire de la Vrillière
secrétaire d'État

Jean-Baptiste
(1619-1683)
contrôleur général des Finances
Ép. Marie Charron

Marie
(1626-1703)
Ép. Jean Desmaretz

Nicolas
(1628-1676)
évêque

Charles
(1629-1696)
marquis de Croissy
secrétaire d'État

Edouard-François
(1633-1693)
comte de Maulévrier
lieut.-gal des armées du roi

Jeanne-Marie
(1650-1732)
Ép. le duc de Chevreuse

Jean-Baptiste
(1651-1690)
marquis de Segnelay
secrétaire d'État

Jacques-Nicolas
(1654-1707)
archevêque

Henriette-Louise
(1657-1733)
Ép. le duc de Beauvillier

Antoine-Martin
(1659-1689)
officier supérieur

Jules-Armand
(1663-1704)
marquis d'Ormoy
officier supérieur

Louis
comte de Linières
officier supérieur

Marie-Anne
(1665-1750)
Ép. le duc de Mortemart

Charles-Edouard
comte de Sceau
officier supérieur

questions

1. Distinguez les principaux personnages (doc. 1) ; quelles sciences sont représentées sur le tableau ? Comment l'artiste a-t-il mis en valeur le roi et son ministre Colbert ?

2. Faites la liste des professions des membres de la famille de Colbert (doc. 2). Faites une liste par génération. Que remarquez-vous ?

3. Que veut faire Colbert, d'après l'ambassadeur de Venise (doc. 3) ? Qu'en pense l'abbé de Choisy (doc. 4) ?

4. Cherchez la définition du mot manufacture. Quelles sont les activités de la manufacture des Gobelins (doc. 5) ?

3 Colbert veut développer l'industrie dans le royaume

Son but est de rendre le pays entier supérieur à tout autre en opulence, abondant en marchandises [...] n'ayant besoin de rien et dispensateur de toutes choses aux autres États. En conséquence il ne néglige rien pour acclimater en France les industries des autres pays. Ce qui se fabrique de particulier en Angleterre, ce que la nature y produit de rare, il s'est étudié à l'importer dans le royaume. [...] A la Hollande on a emprunté sa manière de fabriquer les draps, comme aussi les fromages, les beurres et autres spécialités. A l'Allemagne on a pris les manufactures de chapeaux et de fer-blanc et beaucoup d'autres travaux industriels ; à notre pays, [...] les miroirs.

L'ambassadeur de Venise en France, vers 1668.

4 Une critique de l'œuvre de Colbert

Toujours magnifique en idées, et presque toujours malheureux dans l'exécution, il croyait pouvoir se passer des soies du Levant, des laines d'Espagne, des draps de Hollande, des tapisseries de Flandre. Il établit toutes sortes de manufactures qui coûtaient plus qu'elles ne valaient. [...] Peu exact à répondre aux questions qui lui étaient proposées par les intendants de province lorsqu'il ne s'agissait pas d'argent, il fut uniquement attentif à fournir les sommes immenses qu'on lui demandait tous les jours. [...]
Toujours plein du roi, il ne songeait qu'à l'éterniser dans la mémoire des hommes.

Mémoires de l'abbé de Choisy, cité dans *L'histoire*, n° 60.

5 Louis XIV et Colbert visitent la manufacture des Gobelins.
Avec Colbert, l'État crée des manufactures (tapisserie de Le Brun (1619-1690))

1 Le château
de Versailles

2 La façade sur le parc
de l'architecte Jules
Hardouin Mansart
(1646-1708)

*créer pour la
période Louis XIV*

DU ROI-SOLEIL

3 | Versailles au temps de Molière (1622-1673)

Rien ne peut être plus beau dans le monde, plus magnifique, ni plus surprenant. Le vestibule, la salle, les chambres, la galerie et le cabinet qui est au fond, sont d'une longueur infinie ; figurez-vous quel est l'éclat de cent mille bougies dans cette grande suite d'appartements [...]. Les ameublements d'or et d'argent avaient encore leur éclat particulier, comme la dorure et les marbres. Toutes les décorations y étaient riches et somptueuses.

4 | Versailles au temps de Saint-Simon (1675-1755)

L'appartement du Roi et celui de la Reine y sont les dernières incommodités, avec les vues des cabinets et tout ce qui est derrière, les plus obscures, les plus enfermées, les plus puantes. Les jardins, dont la magnificence étonne [...] sont d'aussi mauvais goût. [...] La violence qui y a été faite partout à la nature repousse et dégoûte malgré soi [...]. On n'en finirait point sur les défauts d'un palais si immense et si immensément cher [...].

5 | La Galerie des glaces

questions

1. A partir du doc. 1, faites un plan du château.

2. Décrivez les différents étages de la façade sur le parc (doc. 2).

3. Cherchez Molière et Saint-Simon dans un dictionnaire des noms propres (doc.3 et 4).

4. Le texte de Molière illustre-t-il le titre du dossier : « Versailles, le château du Roi-Soleil (doc. 3) ?

5. Quelles sont les critiques de Saint-Simon (doc. 4) ?

1 Le port de Bordeaux en 1759 peint par Joseph Vernet (1714-1789)

2 La place royale : au milieu, la statue de Louis XV

XVIIIᵉ SIÈCLE

Bordeaux à la veille de la Révolution de 1789 était le deuxième port d'Europe après Londres. Les échanges avec les Antilles, le commerce du sucre, du rhum et des esclaves noirs, enrichissaient la ville.

Deux grands intendants embellirent la ville : Tourny et Dupré de Saint-Maur. Ils firent percer des perspectives, comme les allées de Tourny et la place de la Bourse. La ville cessait d'être « un composé de vieilles maisons sans symétrie, sans commodités, entre lesquelles passent des rues étroites et nullement alignées » comme la décrivait Tourny à son arrivée à Bordeaux en 1743.

La ville s'orna de beaux bâtiments comme le Palais de Rohan et le Grand Théâtre construit par le célèbre architecte Victor Louis.

3   **Le Grand Théâtre de Bordeaux**

Le théâtre, construit il y a dix ou douze ans, est de beaucoup le plus magnifique qu'il y ait en France... Il y a spectacle tous les soirs, les dimanches non exceptés, comme partout en France. Le mode de vie des marchands bordelais est hautement luxueux. Leurs maisons et leurs établissements commerciaux sont sur un très grand pied ; de grands dîners, souvent servis dans de la vaisselle plate.

Arthur Young, 1792.

4   **Tourny en 1746 : « J'en ferai la plus belle ville du royaume. »**

[...] Bordeaux est le lieu du débarquement de presque tous les particuliers qui, ayant fait fortune aux Isles, veulent par un esprit de retour s'établir en France avec leur famille et y passer le reste de leurs jours, or [...] suivant qu'ils trouvent à Bordeaux de quoi se satisfaire et s'y promettre de l'agrément, ou ils y demeurent ou ils passent plus loin. [...] J'en ferai la plus belle ville du royaume.

5   **Bordeaux vu par l'Anglais Arthur Young, en 1792**

Les maisons neuves, qui sont bâties dans tous les quartiers de la ville, marquent [...] la prospérité de la ville. Partout, les faubourgs sont composés de nouvelles rues ; d'autres sont tracées et en partie bâties [...]. Elles sont toutes en pierre blanche, et, lorsqu'elles sont terminées, elles ajoutent beaucoup à la beauté de la ville.

> **questions**
>
> **1.** Localisez Bordeaux sur une carte. Quelles sont les activités du port (doc. 1) ?
>
> **2.** Comment la ville de Bordeaux a-t-elle pu se doter de si beaux monuments au XVIIIᵉ siècle (doc. 2, 3 et 4) ?
>
> **3.** Décrivez la façade du Grand Théâtre (doc. 3).

LE SOUFFLE DES LIBERTÉS

Les Lumières
La Révolution
L'Empire

La Bataille de Valmy.

Huile sur toile (1835) de Jean-Baptiste Mauzaisse.

LES PHILOSOPHES, L'ENCYCLOPÉDIE

25

1 La tolérance

Ce n'est point la multiplicité des religions qui a produit les guerres, c'est l'esprit d'intolérance.

MONTESQUIEU (1689-1755), *Lettres persanes*.

2 La justice sociale

En France, un noble méprise souverainement un négociant [...]. Je ne sais pourtant lequel est le plus utile à l'État, ou un seigneur bien poudré qui sait précisément à quelle heure le roi se lève [...] ou un négociant qui enrichit son pays.

VOLTAIRE (1694-1778), *Lettres philosophiques*.

3 La liberté

Renoncer à sa liberté, c'est renoncer à sa qualité d'homme, aux droits de l'humanité même à ses devoirs.

Jean-Jacques ROUSSEAU (1712-1778), *Le Contrat social*.

4 La lecture de la gazette

1. Les combats des philosophes

Au cours du règne de Louis XV apparurent des idées nouvelles. Les **philosophes** affirmaient que tous les hommes à leur naissance ont les mêmes droits : ce sont les droits naturels de l'homme. Ils refusaient donc que les nobles, parce qu'ils sont nés dans une famille noble, aient des privilèges. Ils voulaient que tous les hommes soient libres et égaux.

La plupart des philosophes croyaient en un dieu. Voltaire ou Jean-Jacques Rousseau pensaient que seule l'existence d'un « être suprême » pouvait expliquer l'univers. Certains, comme Diderot, étaient **athées.** Mais ils refusaient tous qu'une religion soit imposée aux hommes. Ils combattirent avec force l'**intolérance,** car ils voulaient que chacun soit libre de choisir sa foi : ils défendaient la liberté religieuse.

Les philosophes pensaient aussi que toutes les idées, les croyances, les habitudes, pouvaient être discutées et critiquées. Ils refusaient le pouvoir absolu du roi et condamnaient la **monarchie** de droit divin. Ils proposaient donc que le roi gouverne en tenant compte de la volonté du peuple.

Les philosophes croyaient aussi au progrès : pour eux, la science devait permettre aux hommes d'atteindre le bonheur sur Terre. Pour faire connaître ces idées nouvelles, ainsi que les sciences et les techniques, les savants et les écrivains du XVIIIe siècle rédigèrent l'*Encyclopédie* : 28 volumes dans lesquels l'essentiel des connaissances de l'époque est rassemblé.

2. Le succès des idées nouvelles

Nombreux étaient ceux, parmi les gens cultivés, qui acceptaient les idées nouvelles. La mode était de se réunir dans les cafés ou dans les salons privés : on y discutait les écrits des philosophes. Rousseau, Voltaire ou Diderot étaient invités dans les salons les plus réputés. Ils y rencontraient de riches bourgeois ou même certains nobles. Tous pensaient qu'il fallait abattre le pouvoir absolu et détruire la puissance de l'Église. Les idées de liberté et d'égalité se répandirent dans le pays.

En ville, à Paris surtout, la lecture des journaux se développait. Souvent, autour d'une personne qui lisait à haute voix, les gens se rassemblaient pour discuter les idées nouvelles.

Lentement, le refus de l'Ancien Régime gagnait la société française.

---

5 L'égalité des droits

Aucun homme n'a reçu de la nature le droit de commander aux autres. La liberté est un présent du ciel, et chaque individu de la même espèce a le droit d'en jouir aussitôt qu'il jouit de la raison.

Article de *L'Encyclopédie* (1751-1765).

--- lexique ---

athée :
personne qui ne croit en aucun dieu.

intolérance :
refus d'accepter que les autres aient des idées différentes.

philosophes :
écrivains qui essaient de comprendre l'homme et la nature par la raison.

--- questions ---

1. Quelles sont les idées des philosophes (doc. 1, 2 et 3) ? Expliquez-les.

2. Décrivez la scène présentée sur le doc. 4.
Imaginez la discussion.

Le XVIIIe siècle fut appelé le siècle des Lumières.
Les philosophes voulaient une société où tous les hommes seraient libres de leurs idées et de leurs actions.
Ils affirmaient que tous les hommes étaient égaux en droit.
Ils luttèrent contre l'intolérance.

26 LES LIBERTÉS EN MARCHE

1 La déclaration d'indépendance des États-Unis en 1776 ; debouts de gauche à droite : R. Shermann, R. Livingston, T. Jefferson (tableau de John Trumbull (1756-1843))

2 Né pour la peine

Le temps passé les plus utiles etoient foulés aux pieds.

3 Les privilégiés

1. Le vent des libertés anglaises et américaines

Le roi de France pouvait emprisonner ses sujets sans jugement. Une loi anglaise, l'*Habeas Corpus,* l'interdisait depuis 1679. De même, le roi d'Angleterre ne pouvait augmenter les impôts sans l'avis des représentants du peuple.

D'Angleterre, l'idée de liberté gagnait le reste du monde. En Amérique, les habitants des colonies anglaises voulaient aussi être libres et décider eux-mêmes de leurs impôts. En 1776, ils se déclarèrent indépendants. Ils furent les premiers à proclamer que les hommes naissent égaux, libres, et qu'ils ont droit au bonheur. Les États-Unis étaient nés.

2. Le mécontentement des Français

Au moment où les Français s'enthousiasmaient pour ces idées nouvelles, le pays se transformait. La population augmentait rapidement. Le temps des famines était oublié. Le commerce avec les Antilles enrichissait la bourgeoisie des ports de l'Atlantique.

Mais les paysans se plaignaient toujours plus de tout ce qu'ils devaient payer aux seigneurs. Les bourgeois cultivés acceptaient mal d'être méprisés par les nobles. Paysans et bourgeois refusaient d'être les seuls à payer l'impôt. Le **tiers état** s'opposait aux privilèges des nobles et du **clergé ;** il voulait aussi participer au gouvernement de la France.

3. La crise de la monarchie française

Le pays était riche, mais les caisses de l'État étaient vides. Le roi dépensait plus d'argent qu'il n'en recevait des Français. Pour éviter la ruine de l'État, il fallait obliger les privilégiés à payer les impôts ; ils refusèrent. Louis XVI, faible et hésitant, manqua de volonté pour imposer ces réformes à la noblesse.

Le mécontentement des Français augmentait. En 1788, Louis XVI fut obligé de convoquer les **États Généraux.** Cette assemblée devait résoudre les difficultés de la France.

Dans tout le royaume, les Français furent convoqués pour élire leurs **députés** aux États Généraux. Dans tout le pays, chaque ordre désigna les siens et rédigea des cahiers de doléances. Dans ces cahiers, les Français exprimèrent leurs souhaits, leurs critiques. Ils réclamaient la liberté individuelle, la fin des abus, des privilèges et une justice égale pour tous.

---

4 Le philosophe anglais John Locke (1632-1704) et l'égalité

Les êtres humains vivent ensemble, sans un être supérieur terrestre commun qui aurait l'autorité de juger. La Raison enseigne que tous les êtres sont égaux et indépendants et que personne ne doit nuire à autrui, dans sa vie, dans sa santé, sa liberté, ni attenter à ce qu'il possède.

Essai sur l'Entendement humain, 1690.

——— lexique ———

député :
représentant élu des Français aux États Généraux.

États Généraux :
réunion des représentants des trois ordres de la nation : clergé, noblesse, tiers état. Ils n'avaient pas été convoqués depuis 1614.

——— questions ———

1. A qui appartenaient les États-Unis avant 1776 (doc. 1) ?

2. Décrivez la vie du paysan sous l'Ancien Régime.
Comment est mise en valeur la difficulté des travailleurs de la terre (doc. 2) ?

3. Rappelez les privilèges de la noblesse et du clergé (doc. 3). (Revoyez la leçon 23, p. 70.)

A la fin du XVIIIe siècle, une majorité de Français condamnait la monarchie absolue.
Pour faire face aux difficultés du royaume, Louis XVI convoqua les États Généraux.

27 # 1789

1 Le serment du Jeu de paume ; peinture de David (1748-1825)

2 « Cette fois la justice est du bon côté »

réunion des États Généraux	serment du Jeu de paume	prise de la Bastille	abolition des privilèges	Déclaration des droits de l'homme et du citoyen
5 mai	20 juin	14 juillet	4 août	26 août
1789	1789	1789	1789	1789

1. Le 14 juillet : la fin de la monarchie absolue

Les États Généraux se réunirent à Versailles en mai 1789. Les députés du Tiers État représentaient 9 Français sur 10. Le 17 juin, ils décidèrent qu'ils auraient le pouvoir de parler au nom de la nation : ils formèrent l'Assemblée nationale. Le 20 juin, dans une salle dite du « Jeu de paume », ils prêtèrent serment de ne pas se séparer avant d'avoir rédigé une **constitution.** Elle fixerait les droits et les devoirs de l'Assemblée et ceux du roi. L'absolutisme était aboli. La Révolution commençait.

Louis XVI voulut résister. Il fit appel à l'armée. Le peuple de Paris se souleva et s'arma pour défendre la Révolution naissante. Le 14 juillet, les Parisiens prirent la forteresse de la Bastille ; cette prison représentait pour eux tous les abus du pouvoir. Le peuple triomphait. Le roi céda.

2. La nuit du 4 août : l'abolition des privilèges

Les paysans se révoltèrent aussi. Un vent de panique souffla sur les campagnes. On l'appela « la Grande Peur » : des châteaux brûlaient, des seigneurs étaient menacés.

Cette violence inquiéta l'Assemblée. Pour calmer la fureur paysanne, elle décida, la nuit du 4 août, d'abolir tous les privilèges et de supprimer plusieurs droits seigneuriaux. L'Ancien Régime disparaissait.

3. Le 26 août : la Déclaration des droits de l'homme et du citoyen

L'Assemblée vota le 26 août, la Déclaration des droits de l'homme et du citoyen. Elle déclarait que les hommes naissent et demeurent libres et égaux en droit. Elle proclamait la liberté des cultes. La propriété était sacrée.

Ces droits appartiennent à tous les hommes, quelles que soient leur race, leur religion, leur nationalité. Ces droits ou principes de 1789, sont les fondements de la **démocratie.**

Les Français n'étaient plus les sujets du roi, mais des citoyens. Il n'y aurait plus de gouvernement sans contrôle du peuple. Les députés voteraient les lois. Le roi et le gouvernement seraient chargés de les appliquer. La justice serait confiée à des juges indépendants.

3 · L'année 1789

Jamais peut-être aucune nation n'a vu chez elle de si grands événements politiques arriver en si peu de temps [...]. Le despotisme a été absolument abattu, les privilèges du clergé et de la noblesse ont été pour toujours abolis [...], la puissance royale réduite à ses plus justes bornes. Ce qui doit étonner, c'est que tout cela s'est opéré sans grande effusion de sang.

Notes d'un curé de campagne de l'Agenais (1789).

— lexique —

constitution :
loi qui détermine l'organisation politique d'un État : elle précise les droits et devoirs des citoyens et des gouvernants.

démocratie :
dans une démocratie, le pouvoir vient du peuple : il y a des élections.

— questions —

1. Analysez le tableau (doc. 1) :
— Dégagez les différents plans.
— Quels sont les éléments mis en valeur ?
— Que font les personnages principaux ?

2. Qui sont les différents personnages représentés sur la gravure (doc. 2) ? Comment la justice est-elle figurée ?

La Révolution de 1789 mit fin à l'Ancien Régime.
Le roi perdit son pouvoir absolu. Les privilèges furent abolis.
La Déclaration des droits de l'homme et du citoyen proclama la liberté et l'égalité entre tous les hommes.

28 LA RÉPUBLIQUE

1 La défense de la patrie et de la République

 **2** Danton (1759-1794)

 **3** « De l'audace, toujours de l'audace »

Le tocsin qui sonne, ce n'est point un signal d'alarme, c'est la charge sur les ennemis de la patrie. Pour les vaincre, il nous faut de l'audace, encore de l'audace, toujours de l'audace et la France est sauvée.

DANTON, 1792.

4 Robespierre (1758-1794)

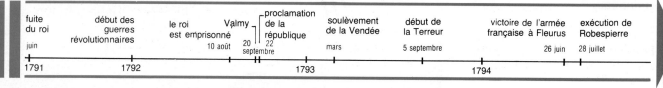

fuite du roi	début des guerres révolutionnaires	le roi est emprisonné	Valmy	proclamation de la république	soulèvement de la Vendée	début de la Terreur	victoire de l'armée française à Fleurus	exécution de Robespierre
juin		10 août	20 septembre	22	mars	5 septembre	26 juin	28 juillet
1791	1792			1793			1794	

1. La naissance de la république

Louis XVI n'acceptait pas la Révolution. En juin 1791, il chercha à fuir la France. En effet, de l'étranger, il pensait revenir à la tête d'une armée pour rétablir l'Ancien Régime. Mais à Varennes, des **patriotes** reconnurent la famille royale, qui fut arrêtée et reconduite à Paris.

En Europe, les rois s'inquiétaient. Ils avaient peur que leurs sujets imitent les Français. Ils voulaient écraser la Révolution. En 1792, ce fut la guerre.

Louis XVI fut accusé de complicité avec l'ennemi. A l'appel des chefs révolutionnaires, le peuple de Paris se souleva le 10 août 1792. La royauté fut abolie et, le 22 septembre, la république était proclamée. Le roi fut guillotiné en 1793.

2. La patrie en danger

Les débuts de la guerre avaient été malheureux. Les armées du roi de Prusse et de l'empereur d'Autriche menaçaient Paris. On déclara « la patrie en danger ». Des milliers de volontaires s'engagèrent pour sauver la Révolution. Ceux de Marseille marchaient au son d'une chanson qui enthousiasmait les patriotes : on l'appela « la Marseillaise ». Plus tard, elle devint notre hymne national.

Les ennemis de la France et de la Révolution furent repoussés à Valmy, le 20 septembre 1792. La Révolution était sauvée, mais la guerre continua. Elle ne devait s'arrêter qu'en 1815.

3. La Terreur

A la guerre extérieure s'ajoutait la **guerre civile.** Les chefs révolutionnaires Danton, Saint-Just, Robespierre, soutenus par les **Sans-Culottes,** prirent des mesures énergiques contre les ennemis de la Révolution : ce fut la Terreur. On arrêta 300 000 suspects ; beaucoup furent guillotinés. En Vendée, à Nantes, à Lyon, des révoltes furent écrasées. On mobilisa toutes les forces du pays pour défendre la patrie.

Un calendrier révolutionnaire fut institué : l'An 1 commençait le 21 septembre 1792.

L'acharnement des révolutionnaires sauva la république. Mais la Terreur continua, alors que les ennemis étaient abattus. Le peuple de Paris, lassé par tant de violence, abandonna Robespierre et ses amis. Arrêtés, ils furent guillotinés en juillet 1794. La Révolution était terminée.

---

5 Tout pour la défense de la patrie

Dès ce moment jusqu'à celui où les ennemis auront été chassés du territoire de la République, tous les Français sont en réquisition permanente pour le service des armées. Les jeunes gens iront au combat ; les hommes mariés forgeront les armes et transporteront les subsistances ; les femmes feront des tentes, des habits et serviront dans les hôpitaux ; les enfants mettront le vieux linge en charpie, et les vieillards se feront porter sur les places publiques pour exciter le courage des guerriers, prêcher la haine des rois et l'unité de la République.

Rapport de Barère au Comité de Salut Public le 23 août 1793.

--- lexique ---

Sans-Culottes :
révolutionnaires parisiens ; issus du peuple, ils portaient le pantalon et non la culotte portée par les aristocrates et les riches.

patriote :
celui qui aime sa patrie, le pays où il est né.

--- questions ---

1. Sur le doc. 1, qui part à la guerre ?
Quels sont les sentiments exprimés par les personnages ?

2. Quel est le rôle de chaque Français dans la lutte contre les ennemis de la Révolution (doc. 5) ?

La république fut proclamée le 22 septembre 1792. Elle était menacée, à l'extérieur, par les armées des rois et, à l'intérieur, par les adversaires de la Révolution. La Terreur permit aux révolutionnaires de triompher de leurs ennemis.

L'UNITÉ NATIONALE

29

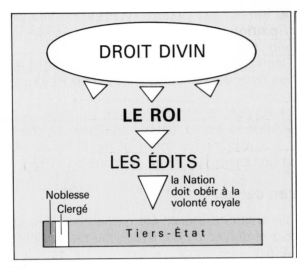

DROIT DIVIN

LE ROI

LES ÉDITS

la Nation doit obéir à la volonté royale

Noblesse
Clergé

Tiers-État

1 L'ancien régime

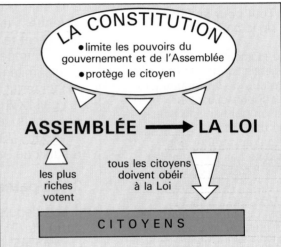

LA CONSTITUTION
- limite les pouvoirs du gouvernement et de l'Assemblée
- protège le citoyen

ASSEMBLÉE ➜ LA LOI

les plus riches votent

tous les citoyens doivent obéir à la Loi

CITOYENS

2 Le nouveau régime

3 Les mêmes poids et les mêmes mesures pour tout le pays

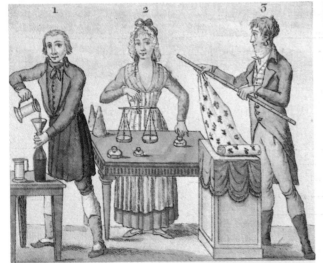

1. le Litre *(Pour la Pinte)*
2. le Gramme *(Pour la Livre)*
3. le Mètre *(Pour l'Aune)*

4. l'Are *(Pour la Toise)*
5. le Franc *(Pour une Livre Tournois)*
6. le Stère *(Pour la Demie Voie de Bois)*

1. Le peuple souverain

Le pouvoir du roi venait de Dieu. Depuis 1789, le pouvoir vient de la **nation.** Les représentants du peuple votent des lois : c'est le pouvoir législatif. Le gouvernement les fait appliquer : c'est le pouvoir exécutif. La séparation de ces deux pouvoirs assure la démocratie.

2. Une France nouvelle

La Révolution a unifié et organisé notre pays. La France fut divisée en 83 départements. Ceux-ci furent eux-mêmes divisés en cantons et les cantons en communes. Dans chacun de ces territoires, des représentants étaient élus. La loi et les règlements devinrent identiques pour tous les départements comme pour tous les citoyens. Les impôts allaient être les mêmes partout ; chaque citoyen devait les payer selon l'importance de ses propriétés.

Pour faciliter le commerce et les échanges, un nouveau système de poids et mesures fut imposé. Jusqu'à la Révolution, les mesures de capacité*, de masse, de longueur, variaient d'une ville à l'autre. Après la Révolution, les Français durent utiliser le système métrique : le litre, le gramme, le mètre.

La Révolution créa un état **laïque.** Les naissances, les mariages et les décès durent être enregistrés à la mairie et non plus à l'église. Le mariage civil fut institué. Le calendrier révolutionnaire remplaça jusqu'en 1805 le calendrier chrétien.

Les révolutionnaires voulurent imposer partout l'usage de la langue française. Ils pensaient que si tous les citoyens parlaient la même langue, la nation serait plus forte et plus unie.

3. Les injustices de la Révolution

Les révolutionnaires avaient voulu que les Français soient libres et égaux : ils oublièrent parfois ces principes.
- Le droit de vote fut réservé aux hommes riches.
- La liberté religieuse, affirmée dans la Déclaration des droits de l'homme et du citoyen, ne fut pas respectée ; pour les révolutionnaires, la religion était contraire au progrès.
- Les plus pauvres parmi le peuple ne profitèrent pas du partage des biens que l'État avait confisqués au clergé et à la noblesse. Seuls les plus riches dans les campagnes et les bourgeois aisés des villes purent acheter des terres.
- Les ouvriers, les compagnons, n'eurent plus le droit de se grouper pour se défendre.

| **4** | **Le mariage du comte Louis Mathieu Molé** |

Le 18 août 1798 je retrouvai la Révolution dans la cérémonie de mon mariage. Ce fut le garçon de cuisine de ma mère qui, en sa qualité de maire, nous unit civilement. Il ne nous eut pas plutôt déclaré au nom de la loi légitimes époux qu'il retourna à ses autres fonctions, c'est-à-dire à préparer le déjeuner. C'était à Méry-sur-Oise que cela se passait.

Mémoires du comte Louis Mathieu MOLÉ (1781-1855).

——— lexique ———

laïque :
indépendant de toutes les religions.

——— questions ———

1. Expliquez la différence entre le doc. 1 et le doc. 2.

2. Essayez de retrouver les unités de mesure utilisées autrefois dans votre région.

3. Que signifie l'expression : « je retrouvai la Révolution dans la cérémonie de mon mariage » (doc. 4) ?

La Révolution française a remplacé le bon vouloir du roi par la loi.
Toutes les provinces françaises, tous les citoyens sont soumis à la même loi.
La Révolution a créé les départements. Elle a imposé un seul système de poids et mesures.

30 L'ORDRE NAPOLÉONIEN

1 Napoléon
en costume de sacre

2 Extraits du Code civil

• Nul ne peut être contraint de céder sa propriété si ce n'est pour cause d'utilité publique et moyennant une juste et préalable indemnité.

• Le mari doit protection à sa femme, la femme doit obéissance à son mari.

• L'enfant ne peut quitter la maison paternelle sans la permission de son père, si ce n'est pour enrôlement volontaire, après l'âge de 18 ans révolus.

3 La revue
du Carrousel

	novembre		2 décembre			avril	
RÉVOLUTION	C O N S U L A T		E M P I R E				RESTAURATION
	1799		1804			1814	

Passé 12 ans, les élèves apprennent l'exercice militaire sous la direction d'un adjudant. Les élèves sont divisés en compagnies de 25 ; chaque compagnie a un sergent et quatre caporaux choisis parmi les meilleurs sujets.
Les punitions consistent en prison, table de pénitence et arrêts. L'élève mis aux arrêts est consigné dans un coin de la cour pendant les récréations. Chaque lycée aura une bibliothèque de mille cinq cents volumes. Le catalogue de ces bibliothèques sera identique partout. Aucun livre nouveau ne devra être introduit sans l'autorisation du ministre de l'Intérieur.

REICHARDT (1752-1814), *Un hiver à Paris sous le Consulat.*

─────── lexique ───────

Banque de France :
elle imprime les billets ; elle prête de l'argent aux autres banques

cadastre :
registre qui contient le plan et la description de toutes les propriétés de la commune ; on le trouve à la mairie.

coup d'État :
prise de pouvoir par la force ou d'une manière opposée à la loi.

─────── questions ───────

1. Qui a l'autorité dans la famille (doc. 2) ? Est-ce toujours ainsi aujourd'hui ?

2. Décrivez la scène (doc. 3). Où sont placés les soldats ? Quel monument voit-on à droite du tableau ?
A quoi sert-il ? Dessinez-le.

3. Que pensez-vous de la vie des lycéens sous l'Empire (doc. 4) ?

1. Napoléon Ier empereur

De 1792 à 1799, la France a fait la guerre à l'Europe des rois. Le général Bonaparte a remporté de brillantes victoires en Italie contre l'empereur d'Autriche, un des principaux ennemis de la France révolutionnaire. Ses exploits militaires en Italie le rendirent célèbre.

A l'intérieur du pays, la Révolution était terminée, mais le gouvernement n'arrivait pas à rétablir l'ordre. Les royalistes voulaient revenir à l'Ancien Régime ; certains révolutionnaires, au contraire, désiraient aboutir à l'égalité totale entre les individus. Mais ceux qui avaient bénéficié du changement que la France avait connu depuis 1789, les bourgeois qui maintenant pouvaient voter, souhaitaient que l'ordre revienne. Ils pensaient que seul Bonaparte et l'armée pouvaient faire cesser les désordres. En novembre 1799, celui-ci s'empara du pouvoir par un **coup d'État militaire.** En 1804, il se fit sacrer empereur.

Napoléon Ier gouverna seul. « Le pouvoir vient d'en haut, la confiance vient d'en bas », disait-il. Les journaux étaient contrôlés ; la police était partout. Tous les enfants apprenaient le catéchisme impérial : « Nous devons à Napoléon Ier notre Empereur l'amour, le respect, l'obéissance, la fidélité, le service militaire. »

2. Napoléon crée la France moderne

L'Empereur acheva l'unité de la France. Dans chaque département, un préfet représentait l'État. Le Code civil fut rédigé, fixant les règles que tous les Français devaient respecter. Dans la famille, il donne l'autorité au père : l'épouse et les enfants lui doivent entière obéissance. Toutes les grandes réformes de la Révolution y figuraient : suppression des privilèges, mariage civil, etc.

Des lycées furent ouverts. Seuls les fils de la bourgeoisie et de la noblesse pouvaient les fréquenter ; ils y apprenaient à devenir de fidèles serviteurs de l'État.

La bourgeoisie et tous les propriétaires profitaient de l'ordre napoléonien. Ils conservaient les terres de la noblesse et du clergé qu'ils avaient achetées pendant la Révolution. Le **cadastre,** que l'on commençait à rédiger, délimitait les propriétés de chacun. Une monnaie solide, le franc, et la création de la **Banque de France,** favorisèrent les affaires. Avec l'Empire, la bourgeoisie devint de plus en plus puissante : banquiers et hommes d'affaires dominaient le pays.

Avec Napoléon Ier, la France retrouva l'ordre après dix ans de Révolution.
L'Empereur modernisa la France : il créa les lycées et le Code civil. Des préfets furent nommés dans tous les départements.

31 L'EUROPE A L'HEURE DE LA FRANCE

1 L'entrée triomphale de Napoléon à Berlin, le 28 octobre 1806

2 *El tres de Mayo* de Goya (1746-1828) : le 3 mai 1808, les armées de Napoléon répriment la révolte du peuple espagnol, à Madrid

victoire d' Austerlitz	décret de Berlin : blocus continental	début du soulèvement de l'Espagne	début de la campagne de Russie	succession de défaites de l'Empereur	Paris est occupé	défaite de Waterloo
2 décembre	21 novembre	octobre	24 juin		mars	18 juin
1805	1806	1808	1812	1813	1814	1815

1. Des guerres révolutionnaires aux guerres de Napoléon

La France était en guerre depuis 1792. Les armées de la République avaient repoussé les ennemis de la Révolution. Les **soldats de l'An II** portèrent les principes de 1789 en Belgique, en Hollande et en Italie.

L'Angleterre, qui vivait du commerce avec le continent, ne tolérait pas la domination française en Europe. L'Autriche, la Prusse, la Russie, ne supportaient pas l'existence d'une république menaçante pour l'Europe des rois. Pour elles, « Napoléon, c'est Robespierre à cheval ». Ces puissances s'allièrent alors à l'Angleterre pour abattre la Révolution et Napoléon.

2. Les grandes victoires de Napoléon

Napoléon disposait d'une armée nombreuse : on l'appelait la Grande Armée. De 1800 à 1815, 1 600 000 Français servirent dans ses rangs. La force de Napoléon reposait sur la rapidité de son infanterie, la puissance de son artillerie*, les charges de sa cavalerie de réserve* et ses talents de chef militaire.

De 1805 à 1809, Napoléon accumula les victoires. Les Autrichiens et les Russes furent anéantis à Austerlitz en 1805, les Prussiens à Iéna en 1806. L'Empereur dominait l'Europe. Mais il restait à vaincre l'Angleterre. Faute de pouvoir débarquer chez elle, Napoléon décida alors de ruiner son commerce : ce fut le **blocus continental.**

3. Le réveil des peuples et des rois

Les armées françaises auraient dû apporter la liberté. Elles ne vinrent souvent qu'occuper les pays. Souvent elles les pillaient. L'Empereur se comporta en souverain absolu, méprisant la liberté des peuples. En Espagne, les populations se révoltèrent.

En 1812, Napoléon voulut soumettre le tsar* de Russie ; il échoua. Sur les 750 000 hommes lancés dans l'immensité russe, 450 000 disparurent. Ce fut le signal du soulèvement général de l'Europe. La France fut envahie, Paris occupé en 1814.

Exilé à l'île d'Elbe, l'Empereur revint en France en 1815 : ce furent les « Cent Jours ». Il essaya de conserver son empire, mais en juin 1815, à Waterloo, il livra et perdit sa dernière bataille contre les ennemis groupés autour de l'Angleterre.

La France était vaincue ; mais la monarchie restaurée ne pouvait ignorer les principes de 1789, qui avaient gagné l'Europe.

---

3 Napoléon, soldat de la Révolution

Art. 1. — Le régime féodal est aboli dans les départements de l'Ems supérieur, des Bouches-du-Weser et des Bouches de l'Elbe.
Art. 2. — Toutes distinctions honorifiques, supériorité ou puissance résultant du régime féodal sont abolies [...].
Art. 3. — Sont pareillement abolies les justices seigneuriales.
Art. 8. — Les droits féodaux et seigneuriaux sont supprimés sans indemnité ou conservés jusqu'au rachat.

Cité dans J.P. BERTRAND, *Le Premier Empire.*

--- lexique ---

soldats de l'an II :
soldats engagés dans l'armée révolutionnaire de 1793. Ils ont combattu pour la liberté et contre les rois. Beaucoup devinrent des soldats de l'Empereur.

blocus continental :
ensemble des mesures prises par Napoléon pour fermer les ports européens au commerce anglais (voir pp. 100-101).

--- questions ---

1. Que veut représenter le peintre espagnol Goya (doc. 2) ?

2. Des territoires annexés par l'Empereur deviennent des départements français.
Montrez que Napoléon applique les mesures révolutionnaires (doc. 3).

Les armées de l'Empereur ont volé de victoire en victoire de 1805 à 1809. La France dominait l'Europe.
Mais les peuples se soulevèrent contre l'occupation française. Après l'échec de la campagne de Russie, la France fut à son tour envahie.

L'ENCYCLOPÉDIE

1 **Denis Diderot (1713-1784)**

- Diderot dirigea la publication de cette œuvre immense, l'*Encyclopédie*.

- Il en rédigea plus de 1 000 articles.

- Plus de 200 personnes ont participé à la rédaction de l'œuvre. Parmi elles, Montesquieu, Voltaire, Rousseau.

- Tous les métiers de l'époque y sont décrits par des planches de dessins précis, réalisés avec l'aide d'ouvriers.

2 **Fonte des canons :**
le métal fondu est coulé dans les moules

---

questions

1. Décrivez le travail de chacun dans la fonderie (doc. 2).

2. Énumérez les différents travaux agricoles représentés sur le doc. 3. Faites la liste des outils utilisés.

3. Pourquoi des gravures aussi précises ont-elles été placées dans l'*Encyclopédie ?*

3 Agriculture : le labourage

1 **Un événement extraordinaire : les paysans s'adressent au roi !**
Première page du cahier de doléances du tiers état d'un village de paysans du Sud-Ouest de la France, Saint-Avit-en-Agenais (mars 1789) ; archives départementales de Lot-et-Garonne

PRENNENT LA PAROLE

2 **Plaintes et doléances des sujets du tiers état :**
extraits du cahier de doléances de Saint-Avit-en-Agenais

Art. 2 — Il sera observé que outre les impôts mentionnés en l'article ci-dessus, le Seigneur du lieu retire encore une rente considérable qui est un picotin un tiers par journal froment, avoine autant, un sous en argent et chaque maison ou famille paye encore *(suivant leur possession)* de la volaille ; les uns deux paires de poules ou chapons ; les autres une, les uns la moitié, les autres le quart, en un mot chacun à proportion des fonds qu'il jouit ; il est payé au Seigneur une infinité de journées.

Art. 3 — Il sera observé à Sa Majesté qu'outre les impôts mentionnés aux articles précédents, il est encore payé un dixième au curé et que le dit seigneur curé ne fait aucun service dans cette paroisse [...].

(La communauté demande la suppression de ce fardeau ou la résidence obligatoire du curé dans la paroisse.)

Art. 5 — Il sera observé au Roi qu'on ne peut comprendre les motifs, non plus que la raison qui ont pu occasionner la diversité des poids et mesures qui se pratiquent dans le royaume ; on pense que l'uniformité serait plus utile, plus praticable [...] (pour) les individus qui connaîtraient ce qu'ils achèteraient et ce qu'ils vendraient.

Art. 7 — Nous ne sommes pas jaloux de leur grandeur et privilèges *(ceux de la noblesse et du clergé),* mais nous sommes jaloux qu'ils ne payent pas le quart des impôts qu'ils devraient payer [...] ; d'où tiennent-ils ces honneurs, ce n'est que par les Devoirs et les Services que leurs Ancêtres ont rendu à l'État et dont ils sont comptables.

S'agira-t-il de quelque cas fortuit, comme grêle, gelée, brouillard, mortalité de bestiaux, ils n'ont qu'à écrire une lettre à Monseigneur l'Intendant, ils seront assurés de la réussite de leur entreprise, tandis que ce que le bas peuple aura présenté sur requête, il aura pour toute réponse le mot néant à la requête.

questions

1. D'après l'article 2 du doc. 2, dressez la liste des différents impôts payés au seigneur de Saint-Avit par les paysans.

2. Dans l'article 3, que reprochent les habitants au curé ?

3. La revendication exprimée dans l'article 5 a-t-elle été satisfaite ? Cherchez dans votre livre le document qui permet de répondre à cette question.

4. De quoi se plaignent les paysans dans l'article 7 ?

3 Dans tout le royaume, des réunions, des élections
(photo extraite du film « 1788 » d'Antenne 2)

Napoléon ne parvenait pas à vaincre l'Angleterre par les armes.

Il entreprit de l'anéantir en s'attaquant à la source de sa puissance : le commerce maritime. En 1806, il interdit à tous les pays sous sa domination de faire du commerce avec l'Angleterre : c'était le blocus continental.

1 **Décret de Berlin, 21 novembre 1806**

Art. 1 — Les Iles britanniques sont déclarées en état de blocus.

Art. 2 — Tout magasin, toute marchandise, toute propriété de quelque nature qu'elle puisse être, appartenant à un sujet de l'Angleterre, sera déclaré de bonne prise.

le Passé.   le Avenir.

2 **Anéantir l'Angleterre (caricature française de 1807)**

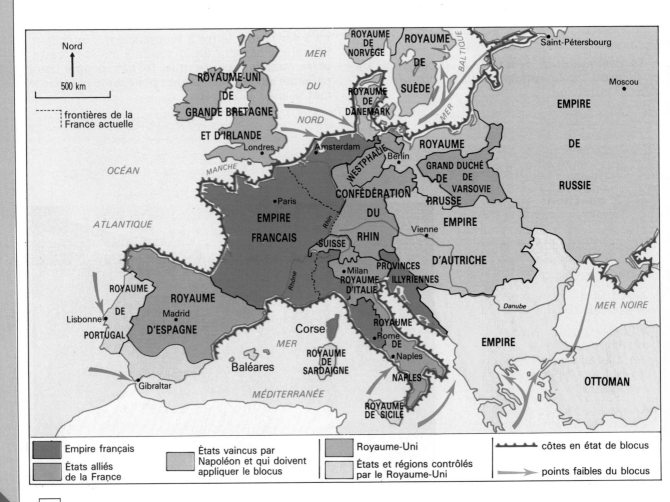

Empire français

États alliés de la France

États vaincus par Napoléon et qui doivent appliquer le blocus

Royaume-Uni

États et régions contrôlés par le Royaume-Uni

côtes en état de blocus

points faibles du blocus

3 **La carte du blocus**

GUERRE ÉCONOMIQUE

L'APPLICATION DU BLOCUS

4 **Destruction de produits anglais :** on brûle en public des tissus anglais introduits en fraude.

5 **Remplacer les produits que l'on ne peut plus importer :** le ministre de l'Intérieur présente à Napoléon les premiers pains de sucre de betterave.

LES DIFFICULTÉS DUES AU BLOCUS

6 **Gravure demandant le retour à la liberté des mers :** « La mort de la chicorée et de la betterave et la résurrection du sucre et du café. »

7 **Activités du port de Bordeaux**

- Arrivée de navires américains :
1807 : 121 ; **1811 :** 8
- Raffineries de sucre :
1789 : 40 ; **1809 :** 8
- Fabrication de cordages pour les navires (à Tonneins, en amont sur la Garonne) :
     1780 : 700 ouvriers
     1811 :   0

---

questions

1. Quels sont les éléments que le dessinateur a mis en évidence pour montrer la richesse de l'Angleterre (doc. 2) ?

2. La longueur du littoral à contrôler pour faire respecter le blocus était immense (doc. 3). Quels sont les points faibles qu'a su utiliser la puissante flotte anglaise ?

3. Quelles difficultés l'application du blocus a-t-elle créées en France (doc. 4, 5, 6 et 7) ?

LE TEMPS DE L'EUROPE

Le Dix-Neuvième siècle

La gare Saint-Lazare.

Huile sur toile (1877) de Claude Monet.

32 | # LA DÉMOCRATIE EN MARCHE

1 | *La Liberté guidant le peuple* par Eugène Delacroix (1798-1863)

2 | La mort de Gavroche

Gavroche n'était tombé que pour se redresser : il resta assis sur son séant, un long filet de sang rayait son visage, il éleva ses deux bras en l'air, regarda du côté d'où était venu le coup et se mit à chanter :

> *Je suis tombé par terre,*
> *C'est la faute à Voltaire,*
> *Le nez dans le ruisseau,*
> *C'est la faute à...*

Il n'acheva point. Une seconde balle du même tireur l'arrêta court. Cette fois il s'abattit la face contre le pavé, et ne remua plus. Cette petite grande âme venait de s'envoler.

Victor HUGO, *Les Misérables*, 1862.

3 | Le suffrage universel (lithographie de 1850)

les Trois Glorieuses 27. 28. 29 juillet	proclamation de la IIᵉ République 24 février	rétablissement de l'empire 2 décembre	proclamation de la république 4 septembre
1830	1848	SECOND EMPIRE 1852	1870

Le programme
républicain

Donnons mandat à notre
député [...] de revendiquer
énergiquement :
— l'application la plus radicale
  du suffrage universel [...] ;
— la liberté individuelle
  désormais placée sous
  l'égide des lois et non
  soumise au bon plaisir et à
  l'arbitraire administratif ;
— la liberté de la presse dans
  toute sa plénitude ;
— la liberté de réunion sans
  entraves et sans pièges ;
— la séparation de l'Église et
  de l'État ;
— l'instruction primaire laïque
  gratuite et obligatoire avec
  concours entre les
  intelligences d'élite.

Léon GAMBETTA, extrait
du *Programme de Belleville*,
15 mai 1869.

─────── lexique ───────

dictature :
tous les pouvoirs sont aux mains
d'une seule personne (ou d'un petit
groupe de personnes) dont l'autorité est sans limite.

Trois Glorieuses :
nom donné aux trois journées des
27, 28 et 29 juillet 1830. Le peuple
de Paris se souleva et chassa le
roi Charles X.

─────── questions ───────

1. Sur le doc. 3, par quels
éléments le suffrage universel
est-il représenté ?
Pourquoi les femmes sont-elles
absentes ?

2. Quelles sont les libertés
réclamées par Léon Gambetta
(doc. 4) ?

1. Le retour des rois : la Restauration

Napoléon vaincu en 1815, la monarchie fut rétablie en France. Les deux frères de Louis XVI, Louis XVIII et Charles X, se succédèrent de 1814 à 1830. Ce fut la Restauration. Mais le temps de l'absolutisme était aboli. Les rois devaient respecter les droits de l'homme et le Code civil.

Seuls les grands propriétaires avaient le droit de vote. Mécontents, le peuple et la bourgeoisie s'allièrent pour renverser Charles X. La révolution des **Trois Glorieuses,** en juillet 1830, élargit le droit de vote. Le nouveau roi Louis-Philippe gouverna avec la bourgeoisie. Il ne défendit que les intérêts des plus riches et le peuple resta maintenu à l'écart du pouvoir. Poussé par la misère, Paris se révolta en 1848 : la Deuxième République était née.

2. 1848 : le suffrage universel

A peine proclamée, la république abolit l'esclavage et accorda le suffrage universel. Tous les hommes de plus de 21 ans eurent le droit de voter. Un ouvrier entra au gouvernement. L'État organisa les Ateliers Nationaux pour fournir du travail aux chômeurs fort nombreux. Lorsque le gouvernement ferma ces ateliers, en juin 1848, les ouvriers se révoltèrent : ils furent écrasés par l'armée. En trois jours, il y eu 1 500 morts et 12 000 arrestations. Découragés, les ouvriers se détournèrent de la république bourgeoise. En décembre 1848, Louis-Napoléon Bonaparte, neveu de Napoléon Ier, fut élu président de la République. Il rêvait cependant de rétablir l'empire. Par un **coup d'État** en 1851, il imposa sa **dictature.** En 1852, il prit le nom de Napoléon III.

3. 1852-1870 : le Second Empire

Devenu empereur, Louis-Napoléon supprima les libertés. Des opposants, comme le poète Victor Hugo, furent obligés de fuir à l'étranger.

La France traversait alors une période de prospérité. La révolution industrielle transformait notre pays. La France paysanne et bourgeoise s'enrichissait. Mais les républicains combattirent la dictature impériale : ils luttaient pour la liberté de la presse, la liberté de pensée et la liberté des élections.

En septembre 1870, Napoléon III, vaincu à Sedan par la Prusse, abdiqua. A Paris, les républicains reprirent le pouvoir. La **démocratie** fut rétablie.

De 1815 à 1870, la France connut plusieurs régimes politiques : la monarchie, la république et l'empire. La République de 1848 apporta le suffrage universel et l'abolition de l'esclavage dans les colonies.

33 LE DROIT DES PEUPLES

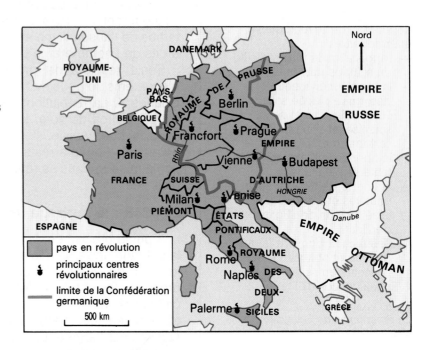

1 Les révolutions de 1848

Légende de la carte :
- pays en révolution
- principaux centres révolutionnaires
- limite de la Confédération germanique
- 500 km

2 Entrée du roi d'Italie et de Napoléon III à Milan, le 7 juin 1859

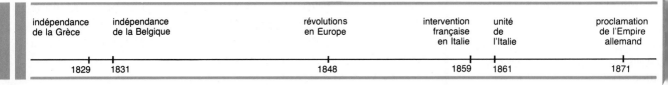

indépendance de la Grèce	indépendance de la Belgique		révolutions en Europe		intervention française en Italie	unité de l'Italie		proclamation de l'Empire allemand
1829	1831		1848		1859	1861		1871

1. L'éveil des nationalités

En 1815, les rois d'Europe triomphaient. Par leur victoire sur Napoléon Ier, ils pensaient avoir arrêté les idées de liberté et d'égalité que les armées françaises avaient répandues.

Mais les peuples d'Europe n'étaient pas libres. L'empire d'Autriche rassemblait des Hongrois, des Tchèques et d'autres nationalités. Il dominait l'Italie du Nord et contrôlait les États allemands, exceptée la Prusse, le plus puissant d'entre eux. La Pologne était partagée entre la Prusse, la Russie et l'Autriche.

Tous ces peuples avaient pourtant leur langue et leur culture. Ils voulaient être libres de s'organiser, de parler leur propre langue, d'avoir un gouvernement, de former une **nation.**

2. 1848 : le printemps des peuples

En 1848, des révolutions éclatèrent dans la plupart des pays d'Europe. Partout la même idée animait les révolutionnaires : la liberté pour toutes les nations. Les Italiens, les Tchèques, les Hongrois luttaient pour chasser les Autrichiens.

En France, les Parisiens renversèrent le roi Louis-Philippe, au pouvoir depuis 1830, et proclamèrent la république.

Dans toute l'Europe, les nobles, l'Église et l'armée s'unirent pour écraser les mouvements révolutionnaires. L'ordre voulu par les rois paraissait de nouveau régner.

3. La France face aux unités italienne et allemande

Après l'échec de leur révolution, beaucoup de **patriotes** européens se réfugièrent à Paris, car la France était la patrie de la liberté. Napoléon III les protégea. Il rêvait d'aider les peuples à obtenir le **droit de disposer d'eux-mêmes.**

En 1859, les armées françaises chassèrent les Autrichiens d'Italie du Nord ; ce fut le signal de l'insurrection de tous les patriotes italiens. L'unité italienne était faite. Pour prix de son aide, la France reçut Nice et la Savoie.

La Prusse cherchait à dominer les États allemands et à former un grand État : l'Allemagne. Par la guerre, elle élimina d'abord l'Autriche. Puis elle entraîna ces États dans une guerre contre la France en 1870. Victorieux, le roi de Prusse fut proclamé empereur allemand : la guerre avait cimenté l'unité de l'Allemagne. Vaincue, la France perdit l'Alsace et une partie de la Lorraine.

---

3 La France et le droit des peuples à disposer d'eux-mêmes

N'oublions pas surtout, au milieu du triomphe, les nations qui souffrent, qui luttent, ces grands peuples blessés qui, étendus et sanglants, cherchent encore une patrie. Aussi longtemps qu'un membre de la famille du genre humain est opprimé dans son indépendance, nous souffrons de sa plaie même au sein de la victoire. Comment notre pensée ne volerait-elle pas au-devant de l'Italie et de la Sicile qui viennent de jeter un si grand cri que nous nous sommes réveillés en sursaut ?

E. QUINET, *Discours au Collège de France,* 9 mars 1848.

--- lexique ---

droit des peuples à disposer d'eux-mêmes :
chaque peuple a droit à une patrie : il peut se constituer en État et se gouverner lui-même ; il peut s'insurger contre la domination d'un pays étranger.

--- questions ---

1. Nommez les villes et les pays où se déroulent les révolutions de 1848 (doc. 1).

2. A quelles nationalités appartiennent les drapeaux accrochés aux fenêtres (doc. 2) ? Pourquoi Napoléon III est-il aux côtés du roi d'Italie ?

Au XIXe siècle, les peuples d'Europe n'acceptaient plus la domination des grandes puissances étrangères.
Ils voulaient se constituer en nations indépendantes.
En 1848, un soulèvement général échoua, mais l'Italie, aidée par la France, fut unifiée en 1861.
L'Allemagne, autour de la Prusse, naquit en 1871.

34 LE MACHINISME

1 Forges (vers 1860) par A.-V. Menzel (1815-1905)

2 Le siècle de la machine : salle des machines à l'Exposition universelle de Paris en 1900

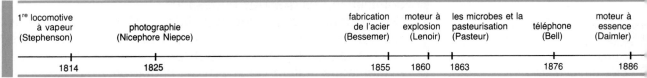

1re locomotive à vapeur (Stephenson)	photographie (Nicephore Niepce)		fabrication de l'acier (Bessemer)	moteur à explosion (Lenoir)	les microbes et la pasteurisation (Pasteur)	téléphone (Bell)	moteur à essence (Daimler)
1814	1825		1855	1860	1863	1876	1886

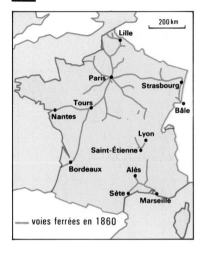

3 Les voies ferrées en 1860

200 km

Lille

Paris
Strasbourg
Tours
Bâle
Nantes
Lyon
Saint-Étienne
Bordeaux
Alès
Sète
Marseille

— voies ferrées en 1860

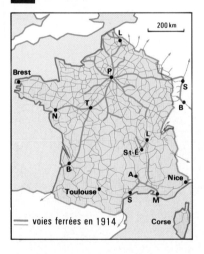

4 Les voies ferrées en 1914

200 km

L

Brest
P
S
N
T
B
L
St-É
Bi
A
Nice
Toulouse
S
M

— voies ferrées en 1914

Corse

——— questions ———

1. Recherchez ce qu'est un laminoir (doc. 1). Où est placée la machine ? Décrivez le travail des ouvriers.

2. Comparez les doc. 3 et 4.

1. La machine à vapeur

En 1782, un Anglais, James Watt, réussit à construire une machine à vapeur vraiment efficace. En 1814, un autre Anglais, Stephenson, mit au point la première locomotive à vapeur : elle pouvait tracter, à la vitesse de 7 km/h, la charge que porterait un camion aujourd'hui. En 1852, sur la ligne Paris-Calais, les trains roulaient déjà à la vitesse moyenne de 52 km/h.

De 1850 à 1914, la France et l'Europe se couvraient de voies ferrées. Dans le même temps, les grands voiliers étaient remplacés par les bateaux à vapeur. Les principales nations d'Europe construisaient de puissantes marines de guerre.

2. L'usine et la ville

Aucun artisan ne pouvait acheter de machine à vapeur ou de métier à tisser mécanique. Aucun de ces petits patrons de forge qui fabriquaient du fer avec quelques compagnons, n'était en mesure de répondre aux nouveaux besoins en rails et en wagons. Ces artisans, enfin, ne pouvaient travailler aussi vite que les nouvelles machines. Des usines sortaient des produits plus nombreux et moins chers que ceux qu'ils fabriquaient.

Des milliers d'entre eux quittèrent alors leur village, abandonnant leur métier à tisser, leur forge, pour devenir ouvriers dans les grandes usines.

Près des mines de charbon, des villes se développaient. Usines et cités ouvrières formèrent un nouveau paysage industriel dans le Nord de la France, en Lorraine, au Creusot.

3. Les sciences

La société changeait. Les savants multipliaient les découvertes. A partir du milieu du siècle, l'industrie commença à pouvoir utiliser les découvertes scientifiques et à mettre au point des techniques qui lui permirent de se développer. Ces progrès bouleversèrent la vie des Européens.

Pasteur découvrit, en 1863, que les microbes sont responsables des maladies. Il montra la nécessité de l'hygiène pour éviter contagion et infection. Il développa aussi les vaccins.

En 1876, Bell, aux États-Unis, fit fonctionner le premier télégraphe. Peu après, Edison mit au point la première ampoule électrique.

En 1900, le cinéma, la radio, étaient inventés.

En 1907, Blériot traversa la Manche en avion.

Le XIXᵉ siècle fut le siècle de la confiance dans le progrès.

neu cinématographe
(helin) (frères Lumière)
1ʳᵉ traversée de la Manche (Blériot)

91 1895 1909

La machine à vapeur permit la révolution des transports : de 1850 à 1914, la France se couvrit de voies ferrées.

Au XIXᵉ siècle, les machines et la grande industrie remplacèrent l'artisanat.

Les découvertes scientifiques transformèrent la vie des Européens.

LA CROISSANCE

1 La croissance de la population en millions d'habitants

	1750	1800	1850	1900
France	23	27	36	39
Grande-Bretagne	7	15	23	38
Italie	14	18	24	33
Allemagne	17	23	36	56
Autriche-Hongrie	10	28	35	49
Russie d'Europe	14	36	57	103
Europe	140	187	266	420
États-Unis	2	5	23	76
Asie	437	500	672	850
Afrique	?	100	110	140
Amérique du Sud	?	15	20	63

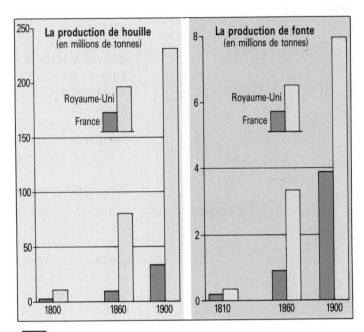

2 Les progrès de l'industrie

3 La construction de la station de métro de la place Saint-Michel à Paris, en 1906

1. Depuis 200 ans, un progrès continu

Tout au long des siècles, l'Europe a connu des périodes de développement. Du XIᵉ au XIIIᵉ siècle, la vie s'était améliorée. Mais, toujours, le temps des progrès s'arrêtait. La maladie, les épidémies, la disette, revenaient.

Au XIXᵉ siècle, pour la première fois depuis le début de l'Histoire, les progrès de l'agriculture allèrent plus vite que l'augmentation de la population. On passait d'un temps où la peur de manquer de nourriture dominait, à une époque où la consommation pouvait être satisfaite et augmentait régulièrement.

2. Toujours plus de nourriture, toujours plus d'hommes

De 1750 à 1900, la population de l'Europe a été multipliée par trois. La Grande-Bretagne passa de 7 à 38 millions d'habitants, la France de 23 à 39 millions. La médecine devenait plus efficace : les grandes épidémies disparaissaient.

L'alimentation s'améliora. En France, la culture de la pomme de terre, des plantes fourragères, se développait. Les animaux étaient mieux nourris, et l'élevage progressait ; la consommation de viande augmenta. Le chemin de fer permit de transporter vers les campagnes la chaux et les engrais chimiques* que l'on commençait à utiliser pour augmenter les rendements. Les paysans produisaient beaucoup plus qu'ils ne consommaient : ils pouvaient ravitailler les villes qui ne cessaient de s'agrandir.

3. Toujours plus de tissu, plus de houille, plus d'acier

L'industrie textile utilisait de plus en plus le coton que les bateaux apportaient des États-Unis et la laine d'Argentine : l'Europe tissa pour le monde entier.

La production de charbon connut un développement extraordinaire. En 1800, on n'en utilisait presque pas en France. En 1900, 33 millions de tonnes furent extraites des mines. La même année, la Grande-Bretagne en produisit 8 fois plus !

La production de fonte augmenta également. A partir de 1850, on commença aussi à fabriquer de l'acier plus dur et moins fragile : des millions de tonnes de rails, de poutrelles, de tôles, sortaient des usines qui fonctionnaient nuit et jour.

En 1889, les visiteurs de l'Exposition universelle de Paris découvraient un étrange monument haut de 300 mètres et entièrement réalisé en fer : la tour de l'ingénieur Eiffel. Elle montrait au monde le triomphe de la grande industrie.

---

4 Les progrès de l'agriculture

L'histoire rurale de la petite localité de Fernoel en Puy-de-Dôme, est déterminée par des événements marquants : commencement des premiers travaux routiers en 1852 ; arrivée des trains de Paris, à Aubusson en 1871 : « Le train et la route mettent la chaux à portée du paysan. La chaux fait pousser le froment et le froment se vend plus cher que le seigle. »

R. Specklin,
Histoire de la France rurale,
Le Seuil, 1976.

5 Le niveau de vie augmente

Entre 1860 et 1910, la consommation annuelle moyenne du Français a augmenté de 187 à 234 kilos de blé, de 77 à 141 litres de vin, de 0,43 à 2,83 kilos de café, de 4 à 14 kilos de sucre. Les temps de disette ou de famine, sont oubliés. Par les progrès de l'alimentation, de l'hygiène et de la médecine, et malgré les ravages de l'alcoolisme, la moyenne de vie est passée pour les hommes de 38 à 48 ans, pour les femmes de 41 à 52 ans.

J. Duché, *Le Bouclier d'Athéna*,
J.-C. Lattès, 1983.

--- questions ---

1. En vous aidant du doc. 1, construisez une courbe par pays pour montrer la croissance de la population au XIXᵉ siècle.

2. En vous aidant de tous les documents, essayez d'expliquer le mot « croissance ».

A partir du XIXᵉ siècle, l'agriculture, l'industrie, les sciences se développèrent en Europe.
Grâce à une croissance économique sans précédent, le niveau de vie des Européens s'améliora rapidement.

36 LE TEMPS DE L'USINE

1 La Bourse de Paris

2 Le retour des mineurs

L'autorité ne doit jamais s'immiscer dans les questions de salaire. Le prix de la main-d'œuvre hausse dans les temps où l'industrie est active, parce qu'alors il y a une grande demande de bras ; il baisse quand l'industrie se ralentit, parce que le travail est plus offert que demandé. Le niveau est donné par les circonstances. Faites comprendre aux ouvriers ces vérités élémentaires.

Le ministre de l'Intérieur,
Léon FAUCHER, 2 février 1849.

─────── lexique ───────

capital :
somme d'argent utilisée dans une entreprise pour construire des ateliers, acheter des machines ou des matières premières (fer, charbon, coton, etc.).

épargnant :
personne qui économise de l'argent ; les épargnants peuvent déposer leur argent dans une banque ou participer à une entreprise en achetant des parts.

grève :
les ouvriers s'arrêtent ensemble de travailler pour obtenir l'augmentation des salaires ou de meilleures conditions de travail.

mutuelle :
des ouvriers se groupent pour s'entraider ; la mutuelle venait en aide aux ouvriers malades, blessés ou au chômage.

─────── questions ───────

1. Que font les différents personnages au premier plan (doc. 1) ?
Imaginez leurs discussions.

2. Comment l'artiste a-t-il représenté le visage des mineurs ? Que veut-il nous dire par ce dessin ?

1. Le capital : l'usine

Pour construire toutes ces usines, pour exploiter les mines de houille et de fer, il fallait des capitaux en quantité. Certains industriels, comme les Schneider au Creusot, furent les patrons d'immenses ateliers employant des milliers d'ouvriers.

Mais, le plus souvent, la fortune d'une seule famille ne suffisait plus pour créer une grande usine. On eut alors l'idée de s'adresser à des dizaines d'**épargnants.** Chacun apportait une partie du **capital** et devenait propriétaire d'une partie de l'usine nouvelle. Il pouvait, s'il le désirait, revendre sa part comme il aurait vendu un champ ou une maison. Il s'adressait alors à un marché spécial, la bourse*, où s'échangeaient des parts d'entreprises, appelées actions. Ce marché était très souvent animé, car nombreux étaient ceux qui voulaient acheter des actions d'une entreprise qui faisait beaucoup de bénéfices*.

Les industriels s'adressaient aussi aux banquiers pour obtenir des capitaux. Devant cette forte demande d'argent, des banques nouvelles naquirent : la Société Générale en 1863, le Crédit Lyonnais en 1864. Les capitaux qu'elles prêtaient ne venaient pas seulement de la fortune de quelques familles, mais des petites sommes que des milliers de Français déposaient.

2. Les ouvriers : le travail

Au début de la grande industrie, les ouvriers des villes vivaient dans une grande misère. Les salaires étaient très bas : à peine de quoi se nourrir pour ne pas mourir de faim. La journée de travail durait 12 heures, parfois 15 heures ! Rien n'interdisait l'emploi des enfants : en 1841, une loi limita à 8 ans l'âge du travail dans les mines !

Dans les taudis* de Lille, vers 1850, les ouvriers du textile s'entassaient à dix dans une pièce. Toutes les villes industrielles d'Europe offraient le même spectacle de misère.

Pour assurer une liberté totale dans l'industrie, la loi ne permettait pas que les ouvriers se groupent pour se défendre. La **grève** était interdite. Lorsque les salaires baissaient trop et que se nourrir et se loger devenait impossible, il ne restait que la révolte. A Lyon, en 1831, la paie des tisseurs de soie, les canuts, avait diminué de moitié en 6 ans. Ils créèrent alors une **mutuelle** pour s'entraider ; ils voulaient aussi un salaire minimum. Leurs patrons refusèrent et ce fut la révolte. Le gouvernement fit intervenir l'armée pour rétablir l'ordre.

Au XIXᵉ siècle, les banques se développèrent et fournirent aux industriels tous les capitaux dont ils avaient besoin.
Aux débuts de la grande industrie, la loi ne protégeait pas les ouvriers. Souvent, ils vivaient dans la misère.

37 PATRONS ET OUVRIERS

1 La famille Péreire : de grands banquiers du XIXᵉ siècle

2 Les galibots (apprentis mineurs) à Bruay dans le Pas-de-Calais, au début du siècle

loi limitant le travail des enfants de 8 à 12 ans à 8 heures par jour	droit de grève	droit de constitution des syndicats	formation d'un grand syndicat : la C.G.T.	GRANDES GRÈVES pour les salaires et la journée de 8 heures
1841	1864	1884	1895	

Au Creusot, la municipalité lui appartient : son frère, lui-même ou ses employés portent l'écharpe de maire depuis 1840. Même assiduité à la députation, où Eugène obtient jusqu'à 99,9 % des suffrages locaux ! A Paris, la vie politique est sous son influence : ministre de l'Agriculture et du Commerce, puis président du Corps législatif, il se plaît tant aux affaires qu'en 1869 il prend pour un désaveu la vice-présidence offerte au baron Jérôme David et envoie sa démission à Napoléon III. Que croyez-vous alors qu'il arriva ? C'est l'empereur qui le rappela.

B. LALANNE, « Une dynastie de patrons », *L'Expansion*, n° 200, 1982.

─────── lexique ───────

syndicat :
association de personnes d'une même profession qui se groupent pour défendre ensemble leurs intérêts.

─────── questions ───────

1. Comparez les enfants des deux photographies (doc. 1 et doc. 2).

2. Quel est l'équipement du galibot (doc. 2) ?

3. Quelles sont les activités d'Eugène Schneider (doc. 3) ?

1. Le triomphe de la bourgeoisie

Les puissantes familles d'industriels et de banquiers accumulaient des fortunes gigantesques. La famille Rothschild, par exemple, ouvrit des banques dans tous les grands pays d'Europe ; sa richesse était prodigieuse. En France, James de Rothschild fournit des **capitaux** pour la construction des chemins de fer du Nord, de Paris-Orléans, de Paris-Lyon-Marseille. Ses successeurs s'intéressèrent aux mines de cuivre et de plomb.

Cette grande bourgeoisie du XIXe siècle participait souvent au gouvernement. Elle considérait que l'État ne devait pas s'occuper des affaires de l'industrie et du commerce. Elle souhaitait une liberté complète pour développer ses activités.

La bourgeoisie des marchands, des rentiers, profitait aussi des progrès. Tous avaient un même idéal : « vivre bourgeoisement ». Ils s'occupaient d'affaires, augmentaient leur fortune en achetant des terres, des parts d'entreprises. Leurs enfants fréquentaient les lycées et faisaient des études supérieures. Dans leur ville, ces bourgeois se faisaient élire maire ; souvent ils devenaient députés.

2. La défense des travailleurs

Des hommes critiquaient cette société où la richesse voisinait avec la plus grande pauvreté. Pour eux, la liberté totale de l'industrie n'était pas bonne puisqu'elle entraînait la misère ouvrière. Ces hommes étaient les premiers socialistes*.

Afin de supprimer l'exploitation des ouvriers, ils proposèrent que les usines deviennent la propriété de ceux qui y travaillaient. Pour Proudhon, les mines, les canaux, les chemins de fer, devaient être remis à des associations* ouvrières. Pour Karl Marx, seule une révolution permettrait de changer ce monde injuste. Il invitait les ouvriers à s'unir pour conquérir le pouvoir par la force : des partis* ouvriers se constituaient.

A partir de 1850, les ouvriers obtinrent des droits nouveaux : le **droit de grève** en 1864, le droit de former des **syndicats** en 1884, au début de la IIIe République.

Peu à peu le sort des ouvriers s'améliorait. Des dirigeants socialistes, comme Jean Jaurès, défendaient les intérêts de la classe ouvrière à la Chambre des députés. En 1906, le repos du dimanche devint obligatoire. En 1910, le Parlement vota une loi instituant les retraites ouvrières.

Au XIXe siècle, le gouvernement laissait une totale liberté aux industriels : aucun salaire minimum n'était fixé.
Les socialistes luttèrent contre cette liberté qui conduisait de nombreux ouvriers à la misère.
A la fin du XIXe siècle, des syndicats furent créés en France : grâce à leur lutte et à la croissance économique, les ouvriers amélioraient peu à peu leurs conditions de vie.

38 LA FRANCE RÉPUBLICAINE

1 Affiche républicaine pour les élections de 1881

2 Une nouvelle expérience

N'a-t-on pas vu les travailleurs des villes et des campagnes, ce monde du travail à qui appartient l'avenir, faire son entrée dans les affaires politiques ? N'est-ce pas l'avertissement caractéristique que le pays, après avoir essayé bien des formes de gouvernement, veut enfin s'adresser à une autre couche sociale pour expérimenter la forme républicaine ?

Léon GAMBETTA, *Discours de Grenoble*, 26 septembre 1872.

proclamation de la république	LA COMMUNE		début de la IIIᵉ République		grandes lois sur les libertés et sur l'école
4 septembre	27 mars	28 mai	28 janvier		
1870	1871		1875	1881	1884

1. La République et la Commune de Paris

En 1871, la République provisoire dut faire face à l'insurrection* des Parisiens qui n'acceptaient pas la défaite de la France à Sedan et la présence des armées prussiennes autour de Paris. Ce fut la Commune de Paris. Les « communards » combattaient aussi pour une société nouvelle : la terre aux paysans, l'outil à l'ouvrier, du travail pour tous.

Thiers, chef du gouvernement réfugié à Versailles, envoya l'armée reconquérir la capitale. Ce fut la « semaine sanglante » : 25 000 communards furent fusillés, des milliers déportés en Algérie et en Nouvelle-Calédonie. Thiers signa la paix avec la Prusse qui évacua notre territoire. En 1875, la république était définitivement installée.

La France devint une **démocratie parlementaire.** Deux assemblées, le Sénat et la Chambre des députés, votaient les lois. Elles élisaient le président de la République pour 7 ans et contrôlaient l'action du gouvernement.

2. Les libertés républicaines

De 1881 à 1884, les assemblées votèrent des lois qui garantissaient la liberté de la presse, la liberté de créer des **syndicats,** les libertés municipales. Dans chaque commune, les électeurs désignaient les membres du conseil municipal.

Pour défendre les libertés et moderniser le pays, il fallait instruire tous les Français. Jules Ferry développa l'instruction. L'école des enfants du peuple devint gratuite en 1881 et obligatoire en 1882. Pour qu'elle soit indépendante de toutes les opinions, elle fut déclarée **laïque.** L'État, peu à peu, se détacha de l'Église.

3. La défense de la république : l'affaire Dreyfus

La république comptait beaucoup d'ennemis.

En 1894, un militaire, le capitaine Dreyfus, fut condamné pour espionnage au profit de l'Allemagne. On découvrit qu'il était innocent. Mais Dreyfus était juif et tous les ennemis de la république refusaient de reconnaître son innocence. Ils cherchaient à dresser les Français contre elle. Les vrais républicains formèrent un gouvernement avec les défenseurs des droits de l'homme. L'écrivain Émile Zola combattit pour que le capitaine Dreyfus retrouve ses droits et son honneur.

La république était sauvée : elle regroupa tous les Français derrière l'armée. En 1905, elle sépara l'Église de l'État.

La Troisième République naquit en 1875. C'était une démocratie parlementaire.
Des lois nouvelles garantissaient plus de libertés aux Français : la liberté de pensée, la liberté d'association, les libertés municipales.
La république développa aussi l'instruction : l'école devint gratuite, laïque et obligatoire.

——— lexique ———

démocratie parlementaire :

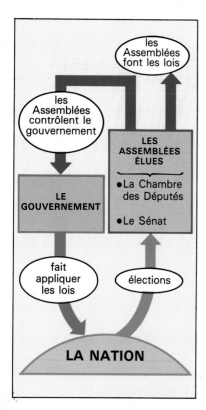

les Assemblées font les lois

les Assemblées contrôlent le gouvernement

LES ASSEMBLÉES ÉLUES
● La Chambre des Députés
● Le Sénat

LE GOUVERNEMENT

fait appliquer les lois

élections

LA NATION

——— questions ———

1. Par qui et pourquoi a été imprimé le doc. 1 ?
Résumez l'œuvre de la Troisième République d'après ce document.

2. Quelle est la nouveauté vantée par Léon Gambetta dans son discours (doc. 2) ?
Quelles sont les formes de gouvernement que la France a connues depuis 1789 ?

39 LES EUROPÉENS A LA CONQUÊTE DU MONDE

1 Savorgnan de Brazza
(1852-1905)

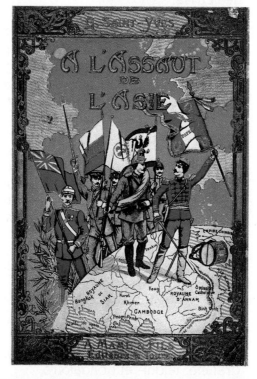

2 A l'assaut de l'Asie
(couverture d'un
livre publié en 1901)

1. La soif de découvertes

Au début du XIXe siècle, une grande partie du monde restait encore inconnue : de l'Afrique Noire les Européens ne connaissaient que les côtes. Des explorateurs* audacieux s'aventurèrent à l'intérieur des terres en Afrique, en Amérique, en Australie ou en Sibérie.

Le Français René Caillié partit seul à la découverte du Sahara en 1827. L'Anglais Livingstone traversa l'Afrique équatoriale d'Est en Ouest dans les années 1860. Sa disparition alarma l'opinion. Un journaliste, Stanley, partit à sa recherche et fit partager à des millions de lecteurs l'aventure de la découverte.

2. Les empires coloniaux

Jusqu'en 1870, le domaine colonial des Européens était encore modeste. Seule l'Angleterre régnait sur de vastes territoires. La France n'avait pas encore mis en valeur l'Algérie conquise dès 1830.

Un grand mouvement de **colonisation** gagna alors les nations. Les bateaux à vapeur avaient besoin de bases sur les côtes de tous les continents pour se ravitailler en eau douce et en charbon. Les industriels recherchaient des matières premières comme l'huile de palme ou l'arachide. Les marchands tentaient de trouver de nouveaux clients pour l'industrie. Les missionnaires cherchaient à christianiser les peuples de la Terre. L'Angleterre, la France et les autres puissances lancèrent leurs troupes à la conquête de l'Afrique, de l'Asie. Elles bâtirent de vastes empires. Des peuples entiers furent dominés.

3. L'Empire français

Les chefs républicains Léon Gambetta et Jules Ferry engagèrent la France dans la colonisation. En Asie, des troupes firent la conquête de l'Indochine. En Afrique du Nord, la Tunisie et le Maroc s'ajoutèrent à l'Algérie.

Mais c'est en Afrique Noire que la France se constitua un vaste empire. De jeunes officiers partirent à sa conquête. Ainsi, Savorgnan de Brazza, à peine âgé de 23 ans, s'enfonça-t-il dans la forêt équatoriale avec trois européens et vingt autochtones*. Il s'installa au Gabon où son premier souci fut de libérer les esclaves. Pour lui, conquérir, c'était aussi apporter la civilisation et les droits de l'homme.

Pourtant, commença alors pour l'Afrique et l'Asie le temps de l'exploitation coloniale.

Au XIXe siècle, les Européens partirent à la conquête du monde. Ils dominèrent l'Asie et l'Afrique.
La IIIe République construisit un grand empire colonial en Indochine, en Afrique Noire et en Afrique du Nord.

---

3 La colonisation vue par Jules Ferry

Un mouvement irrésistible emporte les grandes nations européennes à la conquête des terres nouvelles [...]. De 1815 à 1859, l'Europe était casanière et ne sortait guère de chez elle ; [...] c'était l'époque des annexions modestes et à petit coup, des conquêtes bourgeoises et parcimonieuses. Aujourd'hui, ce sont des continents que l'on annexe, c'est l'immensité que l'on partage, et particulièrement ce vaste continent noir.

Jules FERRY, *Le Tonkin et la Mère-Patrie*, 1890.

——— lexique ———

colonisation :
mise en valeur et exploitation de pays conquis et occupés par une nation étrangère.

——— questions ———

1. Décrivez la photographie (doc. 1) : les personnages, la végétation.

2. Essayez de reconnaître la nationalité des différents soldats (doc. 2).
Où est le soldat français ?
Quels éléments vous permettent-ils de le reconnaître ?
Retrouvez sur la carte de l'atlas, p. 18, les pays représentés sur la gravure.

40 LES PUISSANCES AVEUGLES

1 La conquête du Maroc vue par un caricaturiste (Assus), en 1906

2 La logique infernale : 1er août 1914

3 Le départ du soldat

Chers Parents,
[…] J'espère qu'on va aller en Allemagne ; et je vous assure que ça ne me fait (pas) de peine pour partir, et il faut espérer qu'on en reviendra en remportant la victoire, et qu'on va aller chercher cette pauvre Alsace-Lorraine que nous avons perdue et qui nous attend depuis 44 ans et pour cela s'il faut sacrifier notre peau, on le fera et sans regret.

Alphonse Parrain, 16ᵉ Artie, 3ᵉ Bie, août 1914 ; cité par Chaulanges, Maury et Sève, *Textes historiques*, 1914-1915.

4 Les alliances en Europe en 1914

ROYAUME-UNI
ALLEMAGNE
RUSSIE
FRANCE
AUTRICHE-HONGRIE
ITALIE

▢ Triple Entente
▢ Triple Alliance

——— questions ———

1. Quel personnage représente la France, l'Allemagne, l'Angleterre (doc. 1) ?
Que signifie cette caricature ?

2. Rappelez les événements du 1ᵉʳ août 1914 (doc. 2).

3. Quels sont les sentiments du jeune soldat à son départ pour la guerre (doc. 3) ?

1. Rivalités en Europe

En 1900, l'Europe dominait le monde. Les Français construisaient de grandes usines en Russie, les Allemands des chemins de fer en Turquie, et l'Angleterre fabriquait des tissus en coton pour le monde entier.

Les hommes d'affaires anglais et allemands s'affrontaient partout : pour vendre leurs produits, ils se livraient une lutte sans pitié. La France et l'Angleterre se partageaient l'Afrique. En 1898, elles se heurtèrent pour la domination du Soudan, et la guerre fut évitée de justesse.

Après 1900, ce fut surtout à l'Allemagne que la France s'opposa. L'Empire allemand convoitait le Maroc contrôlé par la France : en 1905 et en 1911, la guerre menaça l'Europe.

2. La course aux armements

Chaque pays voulait être prêt à se défendre en cas de conflit. La flotte anglaise dominait les mers, mais l'Allemagne s'était lancée dans la fabrication de puissants navires de guerre : elle devint l'ennemi principal de l'Angleterre.

En France, on n'oubliait pas l'Alsace-Lorraine perdue en 1871 ; tous les écoliers apprenaient que ces provinces avaient été arrachées à la nation.

En Europe centrale, les peuples dominés par l'Autriche-Hongrie cherchaient des alliés parmi les grandes puissances pour se libérer.

Tous les pays engageaient beaucoup d'argent pour fabriquer des armes et redoutaient de se laisser dépasser par leurs voisins. Malgré les appels à la paix de Jean Jaurès et des syndicats, la haine pour les nations voisines se développait.

3. L'engrenage

On parlait de plus en plus de guerre en Europe. L'empereur d'Allemagne la jugeait même « inévitable et nécessaire ». Aucun pays ne voulait demeurer seul face au danger qui grandissait. La France, la Russie et l'Angleterre se rapprochèrent ; face à elles, l'Allemagne, l'Autriche-Hongrie et l'Italie constituèrent une alliance.

Les motifs de guerre étaient très nombreux et il suffisait que deux pays s'affrontent pour qu'automatiquement, par le jeu des alliances, le conflit s'étende à l'Europe entière. En juillet 1914, l'Autriche et la Russie s'affrontèrent en Europe centrale. Leurs alliés mobilisèrent : le 3 août, l'Europe entière était en guerre.

Les grands pays européens s'opposaient dans le monde entier. Chacun se préparait à la guerre : la France se rapprocha de la Russie et de l'Angleterre. L'Allemagne, l'Autriche-Hongrie et l'Italie formèrent une alliance.
À l'été 1914, commença la Grande Guerre.

1   *La Paye des moissonneurs ;* tableau de L. Lhermitte, 1882

**En 1862
près de trois
personnes sur
quatre vivent
à la campagne**

population urbaine : 26 %

population rurale : 74 %

2   **Diversité
du monde paysan**

① Paysans qui vivent du revenu de leur propriété

② La propriété est trop petite pour assurer la vie de
famille; il faut louer d'autres terres ou bien travailler
ailleurs.

③ Paysans travaillant une terre qui ne leur appartient
pas ; ils sont fermiers ou métayers : ils paient un loyer
de la terre au propriétaire.

④ Ouvriers agricoles : valets, domestiques, journaliers.

AU XIXᵉ SIÈCLE

3 Des encouragements pour la modernisation

Douze combattants sont descendus dans la lice de ce tournoi agricole : onze pour la grande faulx, et un seul pour le volant.

Le tenant du volant s'est présenté avec une tranquille assurance : d'une agilité extrême, d'une dextérité sans égale, d'une ardeur chevaleresque, il maniait son arme avec autant d'habileté que de vigueur, et certainement il aurait vaincu la grande faulx, si elle avait pu être vaincue. Mais il a eu beau s'évertuer, s'agiter, se démener, il s'est vu tellement dépassé, en quelques minutes, par ses rivaux, que renonçant à leur disputer la palme, il s'est retiré de la lutte, ruisselant de sueur et aussi surpris que confus de sa défaite.

Nous ne dirons pas ici les noms des vainqueurs : ils seront bientôt proclamés par une autre bouche.

Ce succès doit faire espérer que le système de fauchage ne tardera pas à se répandre dans nos campagnes.

Le Président du Comice agricole d'Agen, le 23 septembre 1855, *Le Lot-et-Garonne de l'Empire à la République*, Agen, 1979.

5 Arrivées et expéditions dans les gares de la Creuse

	arrivée d'engrais (en tonnes)	expédition de céréales et de pommes de terre (en tonnes)	expédition de bétail (en têtes)
1865	6 400	1 100	63 000
1906	86 000	72 000	186 000

> **questions**
>
> **1.** A quelles catégories du doc. 2 appartiennent les personnages du doc. 1 ?
>
> **2.** Comment encourage-t-on la modernisation (doc. 3) ?
>
> **3.** Quels progrès le doc. 5 fait-il apparaître ?
>
> **4.** Quelles sont les différentes machines utilisées pour le battage des grains (doc. 6) ?

6 Les premières machines agricoles : machine à battre les grains vers 1900

1 | 1833 : une commune, une école

Toute commune est tenue, soit par elle-même, soit en se réunissant à une ou plusieurs communes voisines, d'entretenir au moins une école primaire élémentaire. [...]

L'instruction primaire élémentaire comprend nécessairement l'instruction morale et religieuse, la lecture, l'écriture, les éléments de la langue française et du calcul, le système légal des poids et mesures.

Extrait de la loi Guizot de 1833.

2 | Le travail des enfants

J'ai l'honneur de vous transmettre un rapport de M. l'Inspecteur de l'Enseignement Primaire, duquel il résulte que sur 23 enfants de 7 à 13 ans qui sont employés à la filature de la Roche, 18 sont privés de toute instruction, même de l'instruction religieuse.

Lettre de l'Inspecteur d'Académie de la Moselle, 26 décembre 1856.

4 | Jules Ferry (1832-1893) :
avocat, républicain, il est devenu ministre de l'Instruction publique

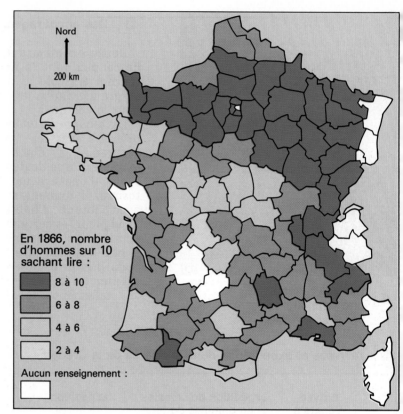

Nord

↑

200 km

En 1866, nombre d'hommes sur 10 sachant lire :

- 8 à 10
- 6 à 8
- 4 à 6
- 2 à 4

Aucun renseignement :

3 | L'alphabétisation en 1866, d'après l'enquête de Maggiolo

5 | Les grandes lois scolaires

1881 : Loi établissant la gratuité absolue de l'enseignement primaire dans les écoles publiques.

1882 : Loi sur l'enseignement primaire obligatoire *(extraits).*
Art. 1 — L'enseignement primaire comprend :
L'instruction morale et civique ;
La lecture et l'écriture ;
La langue et les éléments de la littérature française ;
La géographie, particulièrement celle de la France ;
L'histoire, particulièrement celle de la France jusqu'à nos jours ; [...]
Les éléments des sciences naturelles, physiques et mathématiques ; [...]
Art. 4 — L'instruction primaire est obligatoire pour les enfants des deux sexes âgés de six ans à treize ans révolus. [...]

JULES FERRY

6 Une classe vers 1900

7 L'instruction morale et civique

questions

1. Comparez l'article 1 de la loi de 1882 (doc. 5) à celui de la loi de 1833 (doc. 1).

2. Quelle était la situation de votre département à la veille des grandes lois scolaires (doc. 3) ?

3. Décrivez les élèves et leur instituteur (doc. 6). Au cours de quelle leçon cette photo a-t-elle été prise ?

4. Que veut-on enseigner aux enfants à l'aide des tableaux du doc. 7 ?

Tableau Nº 9. — Les Devoirs du citoyen.

A. — LE DEVOIR DE S'INSTRUIRE.

Le bon citoyen doit obéissance à la loi ; dès son jeune âge il doit lui obéir en s'instruisant. C'est à l'école que l'on apprend **la pratique de tous les devoirs.**

Tableau Nº 9. — Les Devoirs du citoyen.

C. — LE PAIEMENT DE L'IMPOT.

Aujourd'hui, l'impôt étant légalement établi dans l'intérêt général, il est juste qu'il soit payé par tous les citoyens en proportion de leurs ressources.

1 *Le Radeau de la Méduse* **(1819)**
de Théodore Géricault
(1791-1824)

2 *Les Glaneuses* **(1857)**
de Jean-François Millet
(1815-1875)

3 *Alphonsine Fournaise* **(1879)**
de Auguste Renoir
(1841-1919)

1. Quels sont les éléments essentiels du doc. 1 ? Comment sont dessinés les corps et les visages ?

2. Comparez la façon de peindre d'A. Renoir et de V. Van Gogh.

3. Comparez l'utilisation des couleurs dans les différents tableaux.

4 *La méridienne ou sieste d'après Millet* **(1890)**
de Vincent Van Gogh
(1853-1890)

LA FRANCE DANS LE VILLAGE PLANÉTAIRE

Le Vingtième siècle

La Palme.

Huile sur toile (1926) de Pierre Bonnard.

41 LA GRANDE GUERRE

1 Une attaque à Verdun
en 1916

2 Les soldats américains
équipés de chars
Renault en 1918

déclaration de la guerre	GUERRE DES TRANCHÉES						
	1re bataille de la Marne	Verdun	les États-Unis entrent en guerre	révolution russe	2e bataille de de la Marne	armistice	traité de Versailles
3 août	septembre	février	juin	avril	octobre		11 novembre	juin
1914	1914	1916	1916	1917	1917	1918	1918	1919

3 Discours de Clemenceau, 9 mars 1918

Vous voulez la paix, moi aussi. Il serait criminel d'avoir une autre pensée. Mais ce n'est pas en bêlant la paix qu'on fait taire le militarisme prussien !

4 Clemenceau visite les premières lignes (1918)

—————— lexique ——————

armistice :
d'un commun accord, les adversaires arrêtent les combats pour préparer la signature d'un traité de paix.

—————— questions ——————

1. Décrivez le doc. 1 : l'assaut des soldats français photographiés à Verdun par un soldat allemand.

2. En comparant les doc. 1 et 2, montrez l'évolution de la guerre.

3. Georges Clemenceau, chef du gouvernement français en 1918, était appelé « le Tigre » ou « le père la Victoire ». Relevez les expressions ou les mots qui justifient ces surnoms (doc. 3).

1. 10 millions de morts !

La guerre devait être courte, elle dura 54 mois ! Les offensives de l'été 1914 furent très meurtrières, mais toutes échouèrent : en France, Joffre arrêta les Allemands sur la Marne. A l'Est de l'Europe, l'Autriche et l'Allemagne, après d'éclatantes victoires, s'épuisaient devant l'immense Russie.

Les armées se sont alors enterrées : la guerre des tranchées commençait. De la mer du Nord à la Suisse, deux lignes fortifiées se faisaient face. Les soldats ne quittaient leurs tranchées que pour de vaines attaques. Les armements durent s'adapter : la puissance de feu de l'artillerie devint décisive.

Pour percer les lignes ennemies, il fallait broyer l'adversaire. A Verdun, en 1916, 500 000 hommes sont tombés pour la conquête ou la défense de quelques mètres de terrain.

2. Tout pour la guerre

Pour cette guerre, il fallut mobiliser toutes les forces de la nation. Des usines de plus en plus nombreuses fabriquaient des armes toujours plus perfectionnées : avions, canons, chars d'assaut, gaz asphyxiants. Les femmes remplaçaient les hommes appelés au combat. Désormais, la victoire dépendait de la puissance de l'industrie et de la richesse des pays. La France et l'Angleterre comptaient sur l'aide des États-Unis.

3. 1917 : le grand tournant

La Russie des tsars*, épuisée et incapable de soutenir une telle guerre, s'effondra en 1917 : en octobre, la révolution triomphait. Lénine prit le pouvoir ; il appliqua immédiatement son programme qui allait ébranler le monde : terre aux paysans, usines aux ouvriers, paix immédiate. Mais, à bout de forces, la Russie révolutionnaire se retira du combat. Privées de l'aide russe, la France et l'Angleterre furent cependant soutenues par l'entrée en guerre des États-Unis.

4. 1918 : la victoire

Au printemps 1918, l'Allemagne lança ses dernières grandes offensives en France. Elles échouèrent devant la supériorité des Alliés : aux forces franco-anglaises s'étaient ajoutés les hommes et l'immense richesse des États-Unis. L'Allemagne dut s'avouer vaincue et demander l'**armistice.**

Le 11 novembre à 11 h les combats cessèrent.

De 1914 à 1918, le monde fut en guerre. Des millions d'hommes trouvèrent la mort dans les tranchées.
Le 11 novembre 1918, vaincue par la supériorité des armes et de l'industrie des Alliés, l'Allemagne signa l'armistice.

LA VICTOIRE OU LES ILLUSIONS DE LA PAIX

1 Explosion de joie le 11 novembre 1918, place de l'Opéra à Paris

2 Un mauvais traité :
le traité de Versailles

3 Un économiste anglais
critique le traité de Versailles

La campagne accomplie pour faire payer par
l'Allemagne les dépenses de guerre nous semble
avoir été un des actes les plus graves de folie politique
dont nos hommes d'État aient jamais été responsables.
C'est vers un avenir bien différent que l'Europe aurait
pu se tourner si M. Lloyd George et M. Wilson
avaient compris que les plus importants problèmes qui
devaient les occuper n'étaient ni politiques ni
territoriaux, mais financiers et économiques, et que les
dangers qui menaçaient n'étaient pas dans des
questions de frontières et de souveraineté mais de
ravitaillement, de charbon et de transports. [...]

J.M. KEYNES, _Les Conséquences économiques de la paix_,
N.R.F., 1920.

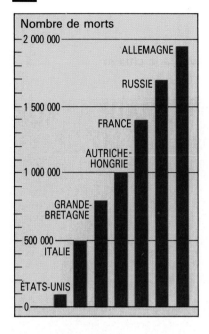

4 Les morts
de la Grande Guerre

Nombre de morts

2 000 000
— ALLEMAGNE
— RUSSIE
1 500 000
— FRANCE
— AUTRICHE-
HONGRIE
1 000 000
— GRANDE-
BRETAGNE
500 000
— ITALIE
— ÉTATS-UNIS
0

5 L'augmentation
du coût de la vie

« Pour avoir des pomm's de terre
Il faut être millionnaire,
Pour avoir du beurr' des œufs
Faut pas être un miséreux.
Malgré qu'on a la Victoire
On n' trouv' plus de vin à boire.
Chaqu' jour on se serr' d'un cran,
Mais on a de l'agrément,
Car on redans' le Tango. »

Cité par F. BÉDARIDA,
Histoire du peuple français.

——— questions ———

1. Expliquez la joie de la foule
(doc. 1).

2. Évaluez le nombre des
morts de chaque pays (doc. 4).
Où, quand et comment sont-ils
honorés dans votre commune ?

3. Quels sont les signes de
l'augmentation des prix d'après
la chanson (doc. 5) ?

4. Pourquoi Keynes critique-t-il
le traité de Versailles (doc. 3) ?

1. La victoire

A Paris, le 11 novembre 1918, la joie fut immense. La France avait retrouvé l'Alsace et la Lorraine. Elle possédait la plus grande armée du monde et se croyait au sommet de sa puissance.

Mais, au lendemain de la victoire, le pays apparut tel qu'il était : dévasté et appauvri. Le million et demi d'hommes jeunes tués au combat manqua cruellement au moment de reconstruire la France.

Ruinés, les pays de la vieille Europe, vainqueurs ou vaincus, n'étaient plus les maîtres du monde. Les États-Unis avaient su profiter de la guerre pour devenir la première puissance mondiale.

2. Des traités imposés aux vaincus

L'Allemagne fut désignée comme seule responsable de la guerre. Au **traité** de Versailles, elle dut accepter de payer à la France de lourdes réparations. Craignant l'esprit de revanche allemand, les dirigeants français imposèrent l'occupation et la démilitarisation* de la Rhénanie. La Prusse fut séparée du reste de l'Allemagne par le couloir polonais.

Au traité de Saint-Germain, le grand empire d'Autriche-Hongrie fut démantelé* en de nouveaux États. Ces États tampons devaient nous protéger de la jeune Russie communiste, redoutée.

La France signa alors des traités d'alliance, notamment avec la Pologne et la Tchécoslovaquie pour se protéger du péril allemand et du péril soviétique.

3. Une paix fragile

Devant les désastres de la « Grande Guerre » et pour empêcher tout nouveau conflit, on créa une assemblée internationale : la Société des Nations. Cependant, les vainqueurs avaient imposé leurs volontés en excluant les vaincus de la Conférence de la paix. Le découpage des nouveaux États d'Europe centrale créa des conflits entre les minorités nationales et l'Allemagne, humiliée, n'allait pas tarder à refuser cette mauvaise paix.

La « Grande Guerre » ne serait donc pas la « der' des der' », comme l'espéraient les « anciens combattants ».

L'Europe sortit ruinée de la guerre de 1914-1918. Les États-Unis et la jeune Russie soviétique s'imposèrent au monde. Le traité de Versailles n'apporta pas la paix souhaitée par les combattants.

43 LA CRISE DES ANNÉES TRENTE

1 Le travail à la chaîne

2 La « Ford T »,
des millions d'exemplaires

3 La grande crise : le chômage

4 Variation de la production industrielle

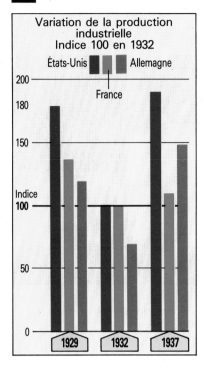

Variation de la production industrielle
Indice 100 en 1932

États-Unis ■ ■ ■ Allemagne
France

1929 1932 1937

─────── lexique ───────

standardisation :
autrefois, chaque objet était entièrement réalisé par un artisan, à la demande d'un client : il était unique. A partir du xxᵉ siècle, un même objet, une fois mis au point, est reproduit de façon identique à des millions d'exemplaires.

─────── questions ───────

1. D'après le doc. 1 quelle est la signification de l'expression « travail à la chaîne » ?

2. Comment la publicité de la « Ford T » traduit-elle la confiance dans le progrès (doc. 2) ?

3. Lisez les inscriptions visibles sur le bâtiment (doc. 3). Expliquez ensuite la photo.

4. Comparez l'évolution de la production industrielle de la France à celle des États-Unis et de l'Allemagne (doc. 4).

1. Des « années folles »...

Dans les années 1920, certains pays se modernisèrent. Grâce à la **standardisation** et au travail à la chaîne, on fabriquait des objets en grande série. Les prix de revient diminuèrent et la clientèle augmentait. La société de consommation naissait.

C'est d'abord l'industrie automobile qui se développa. Henry Ford, un industriel américain de génie, produisit des millions d'exemplaires de la fameuse « Ford T ». En Europe, la croissance fut moins rapide qu'aux États-Unis, mais la majorité des gens avaient confiance dans le progrès. Ils crurent que le temps des crises était à jamais révolu : c'étaient les « années folles » !

2. ... à la crise

Cette croissance était pourtant bien fragile. Brutalement, le 24 octobre 1929 à New York, le « jeudi noir », la crise économique éclata. Ruine des financiers, fermetures d'usines, chômage, s'étendirent de l'Amérique à l'Europe. Les revenus* s'effondrèrent et, faute de clients, les produits ne se vendaient plus. 1932 marqua le sommet de la crise : en trois ans, la production baissa de moitié. Un travailleur sur trois en Allemagne, un sur dix en France, furent alors privés d'emploi. Les rares aides organisées ne suffisaient pas à secourir ces millions de chômeurs.

3. La France des années tristes

En France, la crise se prolongea tandis que la situation des autres puissances s'améliorait à partir de 1933. Moins industrialisé, notre pays se replia sur lui-même et sur son empire colonial. La population française vieillissait, l'agriculture demeurait traditionnelle, l'industrie stagnait, le chômage persistait.

Les gouvernements qui se succédèrent paraissaient incapables de faire face aux difficultés. Un grand nombre de Français perdit confiance dans la république.

Certains s'enthousiasmaient pour la révolution soviétique qui construisait une nouvelle société. D'autres, par contre, souhaitaient un État fort et autoritaire.

En octobre 1929, la crise économique éclata. Aux « années folles » succédèrent les années tristes. Des millions de chômeurs, sans ressources, cherchaient désespérément du travail.

44

LE FRONT POPULAIRE FACE AU FASCISME

1 Le programme
du Front populaire

2 Léon Blum et les dirigeants du Front populaire

3 Les grèves
de juin 1936

	traité de Versailles	prise du pouvoir par B. Mussolini (Italie)		prise du pouvoir par A. Hitler (Allemagne)	Front populaire (France)	Munich : abandon de la Tchécoslovaquie	début de la Seconde Guerre mondiale 3 septembre
	juin						
	1919	1922		1933	1936	1938	1939

1. La menace des dictatures

Au lendemain de la Première Guerre mondiale, l'Allemagne et l'Italie s'estimaient victimes des **traités** de paix. Elles connaissaient aussi de graves difficultés économiques. Des partis politiques nouveaux, dirigés par des chefs autoritaires, arrivèrent au pouvoir. Mussolini en Italie et Hitler en Allemagne supprimèrent les droits de l'homme et lancèrent une politique de guerre : les **dictatures fascistes** naissaient.

Dans les années 1930, la vague fasciste semblait submerger l'Europe entière. En France, le 6 février 1934, des émeutes menacèrent la république.

2. Le Front populaire : « paix, pain, liberté »

Le 12 février 1934, les partis de gauche manifestèrent pour défendre la république : le parti radical, le parti socialiste, le parti communiste, constituèrent un Front populaire qui accéda au gouvernement de la France aux élections de mai 1936. Le socialiste Léon Blum présida le gouvernement du Front populaire. Face au danger fasciste, au risque de guerre et à la crise économique, il opposa un programme de défense des libertés, de paix et de progrès social.

Les ouvriers voulurent imposer l'application immédiate de ces promesses. Ils occupèrent leurs usines dans le calme et dans la joie. Le 7 juin 1936, les « Accords de Matignon » consacrèrent leur victoire. Les lois sur les congés payés et la réduction à 40 heures de la semaine de travail furent votées.

3. La montée des périls

Mais les partis composant le Front populaire se divisèrent rapidement, car les difficultés économiques persistaient et la menace allemande s'aggravait tous les jours. Face à l'Allemagne qui s'armait, les Français, découragés, refusaient de croire à la guerre. Les gouvernements démocratiques de France et d'Angleterre cédèrent à Hitler : en 1938, ils lui abandonnèrent la Tchécoslovaquie, leur plus fidèle allié.

Les **démocraties** s'affaiblissaient, les dictatures se renforçaient : ce fut la marche à la guerre.

En France, le Front populaire fit voter de grandes lois sociales ; mais, la crise économique se prolongeait.
En Europe, le fascisme se renforça. L'Allemagne d'Hitler menaçait la paix.

45 LA SECONDE GUERRE MONDIALE

1 Mai 1940 :
l'invasion de la France
(région de Sedan)

2 Le débarquement
sur les plages
de Normandie en juin 1944

début de la Seconde Guerre mondiale	invasion allemande	appel du général de Gaulle	OCCUPATION DE LA FRANCE	débarquement en Normandie	libération de Paris	fin de la guerre en Europe
3 septembre	10 mai	18 juin		6 juin	24 août	8 mai
1939	1940			1944		1945

3 Discours du Premier ministre anglais Winston Churchill, le 13 mai 1940

« Je n'ai rien à offrir que du sang, du labeur, des larmes et de la sueur.
Nous avons devant nous une épreuve de première grandeur. Nous avons devant nous de longs, de très longs mois de lutte et de souffrance. Vous me demandez quelle est notre politique ? Je vous réponds : faire la guerre, sur mer, sur terre et dans les airs, avec toute notre puissance et toute la force que Dieu peut nous donner ; faire la guerre contre une tyrannie monstrueuse, qui n'a jamais eu d'égale dans le sombre et lamentable catalogue des crimes humains. Voilà notre politique. Vous me demandez quel est notre but ? Je vous réponds en deux mots : la victoire, la victoire à tout prix, la victoire malgré toutes les erreurs, la victoire quelque longue et dure que puisse être la route : car, hors la victoire, il n'est point de survie. »

——— lexique ———

Axe :
alliance de l'Allemagne et de l'Italie à laquelle le Japon s'est joint pendant la Seconde Guerre mondiale.

——— questions ———

1. Montrez la puissance des armées allemandes (doc. 1).

2. Faites la liste des pays alliés, des puissances de l'Axe à l'aide de la carte de l'atlas, pp. 21-22.

3. Montrez la puissance de l'armée américaine (doc. 2).

4. Que désigne l'expression « tyrannie monstrueuse » ? Comment comprenez-vous la dernière phrase (doc. 3) ?

1. La défaite de la France

Le 1er septembre 1939, l'Allemagne envahit la Pologne. La France et l'Angleterre lui déclarèrent la guerre. La Seconde Guerre mondiale commençait. Elle allait durer 6 ans.

La Pologne fut écrasée en trois semaines. En mai 1940, les blindés et l'aviation allemande surprirent les armées françaises à Sedan. Ce fut la « guerre éclair ». Les soldats ne purent résister à la rapidité et à la puissance de feu de l'ennemi. Envahie, ses routes encombrées par des milliers de réfugiés qui fuyaient l'avance allemande, la France était vaincue. L'armistice, demandé par le maréchal Pétain, fut signé le 22 juin 1940.

Seule, l'Angleterre continuait le combat contre l'Allemagne.

2. La grande alliance

L'Allemagne dominait l'Europe. Le 22 juin 1941, Hitler lança ses armées contre l'U.R.S.S. En décembre de la même année, l'aviation japonaise détruisit la flotte américaine du Pacifique à Pearl Harbor. Le monde entier était en guerre. L'Angleterre, les États-Unis et l'Union soviétique conclurent alors une grande alliance contre les pays de l'**Axe.**

Les États-Unis et l'Union soviétique jouaient le premier rôle. L'industrie américaine équipait les armées alliées. Repliées derrière l'Oural, les usines soviétiques produisaient des milliers de chars et de canons qui arrêtèrent les unités allemandes perdues dans l'espace russe.

En 1943, les Soviétiques gagnèrent la bataille de Stalingrad ; pour la première fois, une armée allemande était anéantie.

3. La victoire des Alliés

Le 6 juin 1944, les Américains et leurs alliés débarquèrent en Normandie. Aidés par la Résistance et la 1re Armée française débarquée en Provence, ils libérèrent la France. Soviétiques, Américains, Anglais et Français foncèrent vers l'Allemagne. Là, ils découvrirent les camps de concentration et leurs centaines de milliers de morts.

L'Allemagne détruite, Hitler se suicida le 30 avril 1945. En Europe, la guerre s'arrêta le 8 mai 1945.

Dans le Pacifique, les États-Unis progressaient difficilement d'île en île. Deux bombes atomiques américaines, lancées en août 1945 sur Hiroshima et Nagasaki, brisèrent la résistance japonaise. Le 2 septembre, l'Empire du Soleil Levant* capitula.

La démocratie était sauvée, mais la victoire sur la barbarie avait coûté 50 millions de vies humaines.

En 1939, l'Allemagne déclencha la Seconde Guerre mondiale. La France fut envahie.
La grande alliance entre l'Angleterre, les États-Unis et l'Union soviétique, les résistants en France et dans les pays occupés, ont permis de vaincre les puissances de l'Axe. L'Allemagne capitula le 8 mai 1945.

46 COLLABORATION ET RÉSISTANCE

1 L'Appel du 18 juin 1940

(La France) a un vaste empire derrière elle. Elle peut faire bloc avec l'Empire britannique qui tient la mer et continue la lutte. Elle peut, comme l'Angleterre, utiliser sans limites l'immense industrie des États-Unis.

Cette guerre est une guerre mondiale [...]. Moi, général de Gaulle, actuellement à Londres, j'invite les officiers et les soldats français qui se trouvent en territoire britannique ou qui viendraient à s'y trouver, avec leurs armes ou sans leurs armes, j'invite les ingénieurs et les ouvriers spécialistes des industries d'armement qui se trouvent en territoire britannique ou qui viendraient à s'y trouver, à se mettre en rapport avec moi. Quoi qu'il arrive, la flamme de la résistance française ne doit pas s'éteindre et ne s'éteindra pas.

GÉNÉRAL DE GAULLE.

2 La collaboration : Pétain et Hitler à Montoire, le 24 octobre 1940

3 L'exécution d'un résistant français inconnu

4 Les Juifs
dans l'État français

Nous, Maréchal de France, chef
de l'État français,
Décrétons :

Art. 5. — Les juifs ne pourront,
sans condition ni réserve,
exercer l'une quelconque des
professions suivantes :
directeurs, gérants, rédacteurs
[...] entrepreneurs de presse,
de films, de spectacle, de radio
diffusion [...].
Art. 7. — Les fonctionnaires juifs
[...] cesseront d'exercer leurs
fonctions dans les deux mois qui
suivront la promulgation de la
présente loi.
Art. 9. — La présente loi est
applicable à l'Algérie, aux
colonies [...].

Loi du 3 octobre 1940,
Journal officiel.

——————— lexique ———————

antisémitisme :
racisme dirigé contre les Juifs.

collaboration :
soutien apporté par certains Français à l'Allemagne nazie.

déportation :
arrestation et envoi de résistants,
de Juifs dans des camps de concentration.

——————— questions ———————

1. Quelles sont les forces qui,
d'après le général de Gaulle,
allaient permettre à la France
de continuer le combat en
juin 1940 (doc. 1) ?

2. Qui était le maréchal Pétain ?
Qui était Hitler ? Pourquoi cette
photographie illustre-t-elle la
collaboration (doc. 2) ?

3. Pourquoi cette photographie
(doc. 3) peut-elle illustrer la
résistance française ?

1. La collaboration et les souffrances des Français

Le 10 juillet 1940, à Vichy où le gouvernement de la France s'était replié, la majorité des députés et des sénateurs abandonnèrent leurs pouvoirs au maréchal Pétain : celui-ci devenait le chef de l'État français. La république cessa d'exister.

Le Maréchal accepta de collaborer avec l'Allemagne. Mal conseillé, il laissa les fascistes imposer un ordre nouveau. Les patriotes furent poursuivis, les Juifs persécutés. L'État français conduisait une politique **antisémite.** Une police spéciale, la Milice, créée en 1943, aida les Allemands à asservir notre pays.

2. La Résistance et les espoirs des Français

La Résistance naquit à Londres le 18 juin 1940. Par la radio, le général de Gaulle appela les Français à poursuivre le combat. Peu de Français l'entendirent alors. Peu à peu, certains le rejoignirent à Londres : c'était la France Libre. D'autres organisèrent la lutte sur le territoire national : c'était la Résistance intérieure.

Petit à petit, la Résistance grandit et s'organisa. Les Français acceptaient de moins en moins la **collaboration.** Une multitude de mouvements se constituèrent. A partir de 1942, de nombreux jeunes se réfugièrent dans le maquis*, car ils refusaient de partir en Allemagne, dans le cadre du Service du Travail Obligatoire.

L'unité de la Résistance se fit autour du général de Gaulle. Par des attentats et des actes de sabotages, la Résistance prépara la libération du pays. Ni la **déportation,** ni les exécutions, ni les tortures, ne ralentissaient son essor.

3. La Libération

Le débarquement de Normandie sonna l'heure du soulèvement général contre l'occupant nazi. La Résistance libéra des régions entières comme la Bretagne et le Sud-Ouest. Paris se souleva au mois d'août : ce fut une capitale libre qui accueillit les chars de la 2e Division blindée du général Leclerc.

Un gouvernement provisoire, dirigé par le général de Gaulle, fut alors formé. Il mit en œuvre le programme de la Résistance. Les libertés républicaines furent rétablies et étendues ; le droit de vote fut accordé aux femmes ; la Sécurité Sociale fut créée. La France retrouva son rang : elle participa à la victoire contre l'Allemagne et le Japon. Les collaborateurs furent punis.

Une France plus forte et plus juste se préparait à reconstruire le pays ravagé par la guerre.

Le général de Gaulle et les résistants français refusèrent la défaite de la France.
Ils combattaient l'occupant allemand et le gouvernement du maréchal Pétain qui collaborait.
A la Libération, un nouveau gouvernement formé de résistants essaya de construire une France plus juste.

47 LA FRANCE DANS UN MONDE DIVISÉ

1 1948 :
comme l'Allemagne,
la Corée est divisée

2 Le dialogue nécessaire :
Brejnev, dirigeant de l'Union soviétique,
et Nixon, président des États-Unis,
en 1973 à Washington

3 Un sous-marin
nucléaire français :
le « Redoutable »

LA GUERRE FROIDE	LA DÉTENTE
fin de la guerre en Europe 8 mai	crise de Cuba	accords de Paris : les États-Unis quittent le Vietnam	les Soviétiques interviennent en Afghanistan
1945	1962	1973	1979

4 L'Europe divisée en 1946

De Stettin, dans la Baltique, à Trieste dans l'Adriatique, un rideau de fer est descendu à travers le continent. Derrière cette ligne se trouvent les capitales de tous les pays de l'Europe orientale : Varsovie, Berlin, Prague, Vienne, Budapest, Bucarest et Sofia. Toutes ces villes célèbres, toutes ces nations se trouvent dans la sphère soviétique, et toutes sont soumises, sous une forme ou une autre, non seulement à l'influence soviétique, mais encore au contrôle très étendu et constamment croissant de Moscou.

W. Churchill, *Discours à l'Université de Fulton* (États-Unis), mars 1946.

——— lexique ———

crise de Cuba :
de 1950 jusqu'à aujourd'hui, de graves crises ont menacé la paix du monde. En 1962, l'Union soviétique installa des missiles à Cuba. Les États-Unis s'estimèrent directement visés : ils menacèrent d'utiliser la bombe atomique si les Soviétiques ne retiraient pas leurs fusées. Le monde retint son souffle. Finalement, l'Union soviétique recula et les dirigeants des deux pays comprirent qu'ils devaient négocier ou périr ensemble.

——— questions ———

1. Situez la Corée sur la carte de l'atlas, pp. 25-26.

2. Nommez les pays d'Europe situés à la limite du « bloc communiste » et du « bloc occidental » (doc. 4). Comparez la carte de l'Europe en 1919 (atlas, p. 20) et la carte de l'Europe en 1949 (atlas, p. 24).

3. Situez les doc. 1, 2 et 4 sur la ligne du temps.

1. La division du monde

Le 8 mai 1945, les armées de l'Union soviétique s'avancèrent au cœur de l'Allemagne, jusqu'à Berlin. Elles contrôlaient l'Europe centrale. Les armées américaines étaient présentes partout à l'Ouest. Les deux vainqueurs, les États-Unis et l'Union soviétique, se partageaient l'Europe.

A la conférence de Yalta, en février 1945, Roosevelt, Churchill et Staline s'étaient mis d'accord pour occuper l'Allemagne. Très vite, ils s'affrontèrent pour la domination du monde. La vieille Europe était victime de l'ambition des « Grands ». A l'Est, des partis communistes* soutenus par l'Union soviétique prenaient le pouvoir. Les gouvernements de la France, de l'Italie, de l'Angleterre, recherchèrent la protection des États-Unis. Aucun pays ne pouvait résister à la puissance des deux « Grands ».

L'Allemagne, au cœur de l'opposition entre les deux « Grands », fut coupée en deux ensembles : des millions d'Allemands se réfugièrent à l'Ouest.

En 1948, le monde était divisé en deux blocs : le bloc communiste, dirigé par l'Union soviétique, le bloc occidental, dirigé par les États-Unis.

2. L'équilibre de la terreur

La division du monde menaçait la paix. Les deux « Grands » possédaient la bombe atomique : si un conflit devait éclater, il conduirait à la ruine de la planète. C'était « l'équilibre de la terreur ».

Au début des années soixante, les dirigeants américains et soviétiques comprirent qu'ils devaient négocier ou périr ensemble. Au lendemain de la **crise de Cuba** en 1962, le climat changea. Les chefs d'État se rencontrèrent. Le « téléphone rouge » entre Washington et Moscou fut installé. En 1972, des accords limitèrent la croissance des armements atomiques.

3. La France : le refus des blocs

Depuis la guerre, la France était l'alliée des États-Unis. Mais à partir de 1958, les gouvernements de notre pays refusèrent cette division du monde en deux blocs. Le général de Gaulle, fondateur de la Ve République, voulait une France forte et indépendante. Pour ne plus dépendre de la protection militaire des États-Unis et assurer seule sa défense, la France se retira, en 1966, de l'alliance militaire avec les États-Unis. Elle décida de mettre au point son propre armement nucléaire.

Au lendemain de la Seconde Guerre mondiale, les deux grands vainqueurs dominaient le monde. Autour des États-Unis et de l'Union soviétique, se constituèrent deux blocs opposés.
La France de la Ve République n'accepta pas cette division du monde.

48

LA FIN DES COLONIES

1 La fin de l'Indochine française : la défaite de Dien Bien Phu, le 7 mai 1954

2 L'Algérie indépendante

3 Perdre sa terre natale : les rapatriés jettent un dernier regard sur les côtes de l'Algérie

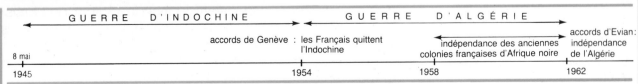

GUERRE D'INDOCHINE	GUERRE D'ALGÉRIE	
	accords de Genève : les Français quittent l'Indochine	indépendance des anciennes colonies françaises d'Afrique noire	accords d'Evian : indépendance de l'Algérie
8 mai			
1945	1954	1958	1962

4 | La France accepte la décolonisation

Considérant que l'émancipation des peuples est conforme, tout à la fois, au génie de notre pays, au but que nos grands colonisateurs, par exemple Gallieni, Lyautey, avaient en vue dans leur œuvre colonisatrice, conforme aussi au mouvement irrésistible qui s'est déclenché dans le monde à l'occasion de la guerre mondiale et de ce qui s'en est suivi, j'ai engagé dans cette voie-là, la voie de l'émancipation des peuples, la politique de la France. Ce n'est pas, bien entendu, que je renie en quoi que ce soit l'œuvre colonisatrice qui a été suivie par l'Occident européen, et en particulier par la France. Je considère plus que jamais que cette œuvre fut belle, grande et féconde. Mais je ne crois pas moins qu'il faut savoir, quand le moment est venu, et il est venu, reconnaître à tous le droit de disposer d'eux-mêmes.

GÉNÉRAL DE GAULLE,
5 septembre 1960
(conférence de presse).

———— lexique ————

décolonisation :
après 1945, presque toutes les colonies devinrent indépendantes.

O.N.U. :
(Organisation des Nations Unies) créée en 1945, elle regroupe à New York les représentants de tous les pays ; elle a pour mission de veiller à la paix du monde.

———— questions ————

1. Localisez les territoires coloniaux français devenus indépendants à l'aide des cartes de l'atlas, pp. 17-18 et 25-26.

2. Expliquez la joie des jeunes Algériens (doc. 2).

1. La fin de l'Empire colonial français

Des soldats africains avaient combattu pour la libération de la France au cours de la Seconde Guerre mondiale. Aux côtés des autres soldats alliés, ils s'étaient battus contre l'Allemagne nazie pour la liberté des nations. Après la guerre, au nom des droits de l'homme, ils réclamèrent leur indépendance : dans les colonies, les peuples refusaient le maintien de la domination européenne.

A la suite de la défaite de Dien Bien Phu, en 1954, le gouvernement présidé par Mendès-France mit fin à une guerre de 9 ans en Indochine.

Les unes après les autres, toutes les colonies françaises d'Afrique réclamèrent leur indépendance. La France, comme l'Angleterre, comprit qu'elle ne pouvait échapper à ce vaste mouvement de **décolonisation :** de 1954 à 1962, la France perdit toutes ses colonies.

2. La guerre d'Algérie

En Algérie, les Français étaient installés depuis 1830. Ils étaient un peu plus d'un million face à dix millions de musulmans.

L'Algérie était un territoire français, divisé, comme la France, en départements. Mais la grande majorité des musulmans n'était pas reconnue comme de véritables citoyens.

A la Toussaint 1954, la révolte éclata. Le gouvernement français crut qu'il pourrait rétablir l'ordre par les armes. Pendant 8 années, les jeunes soldats partirent combattre la rebellion algérienne. Cependant, des Français refusaient cette guerre. Les gouvernements se succédaient, mais ne pouvaient résoudre le drame algérien.

Le général de Gaulle, revenu au pouvoir en 1958, comprit peu à peu qu'il fallait accorder son indépendance à l'Algérie. Le 19 mars 1962, la guerre était terminée. En quelques semaines, tous les Français d'Algérie quittèrent leur terre natale.

3. La vraie division du monde

Aujourd'hui, la plupart des peuples ont obtenu leur indépendance. A l'**O.N.U.,** les anciens peuples colonisés sont majoritaires. Mais tous ces peuples sont pauvres et sans moyens : ce sont les pays du Tiers monde.

Aujourd'hui, la vraie division du monde oppose les pays riches aux pays pauvres. Pendant que les nations industrielles vivent la révolution informatique, le Tiers monde est menacé par la famine.

Après la Seconde Guerre mondiale, les peuples colonisés n'acceptaient plus la domination européenne. Au nom des droits de l'homme, ils réclamèrent leur indépendance.
En Indochine et en Algérie, la France dut faire face à la révolte armée.
Depuis 1962, la France n'a plus d'empire colonial.

49 FAIRE L'EUROPE

1 Pour l'aide américaine

PAR LE PLAN MARSHALL

COOPÉRATION INTEREUROPÉENNE
POUR UN NIVEAU DE VIE PLUS ÉLEVÉ

NON !
LA FRANCE NE SERA PAS
UN PAYS COLONISÉ !

LES AMÉRICAINS EN AMÉRIQUE !

ÉDITÉ PAR LE PARTI COMMUNISTE FRANÇAIS

2 Contre l'aide américaine

3 Les étapes de la construction européenne

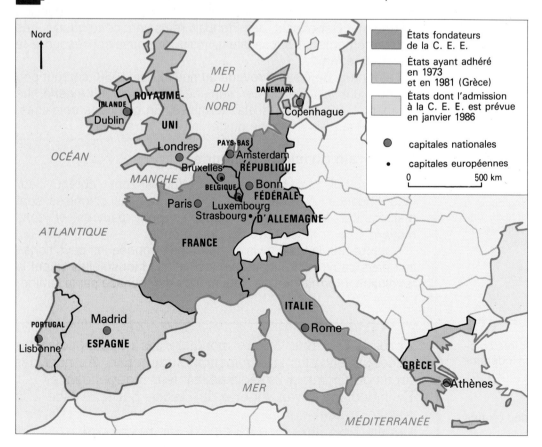

Nord

MER
DU
NORD

DANEMARK

Copenhague

IRLANDE   ROYAUME-

Dublin   UNI

Londres

OCÉAN

MANCHE

PAYS-BAS

Amsterdam

Bruxelles   RÉPUBLIQUE

BELGIQUE   Bonn

FÉDÉRALE

Paris   Luxembourg

Strasbourg   D'ALLEMAGNE

ATLANTIQUE

FRANCE

ITALIE

PORTUGAL   Madrid

Rome

Lisbonne   ESPAGNE

GRÈCE

MER   Athènes

MÉDITERRANÉE

États fondateurs
de la C. E. E.

États ayant adhéré
en 1973
et en 1981 (Grèce)

États dont l'admission
à la C. E. E. est prévue
en janvier 1986

● capitales nationales

• capitales européennes

0   500 km

1. La reconstruction

Les ruines de la guerre étaient si importantes que ni la France, ni l'Italie, ni l'Allemagne, ne pouvaient se redresser seules. Tous les pays d'Europe savaient que, séparés, ils étaient trop faibles face aux États-Unis et à l'Union soviétique.

Les États-Unis, soucieux de voir renaître une Europe forte et indépendante, apportèrent une aide massive aux pays sinistrés : le plan Marshall. Le bloc soviétique le refusa.

Avec les dollars américains, la France acheta des locomotives, des machines, des camions, des tracteurs, des moissonneuses fabriqués aux États-Unis. Rapidement la production française commença à croître.

2. Vers l'unité européenne

Des hommes d'État comprirent que le temps de la division de l'Europe avait été le temps des guerres et des malheurs. Ils mirent toute leur énergie à rapprocher les ennemis d'hier.

En 1951, l'Allemagne, l'Italie, la France, la Belgique, les Pays-Bas et le Luxembourg décidèrent d'organiser ensemble leur production de charbon et d'acier. Ce fut le point de départ de l'unité de l'Europe de l'Ouest.

Pour favoriser les échanges et accélérer la croissance de chacun de ces pays, les gouvernements souhaitaient que les produits circulent librement : pour toutes les marchandises les frontières devaient être supprimées. En 1957, le traité de Rome créa la Communauté Économique Européenne : la **C.E.E.**

Plus tard, le Marché commun des productions agricoles se mit en place : c'est l'Europe verte*. Chaque agriculteur européen est assuré de recevoir un prix minimum pour ses productions de blé, de lait, etc.

3. L'Europe s'élargit

L'Europe des Six s'enrichissait plus rapidement que le Royaume-Uni ou l'Irlande. De nouveaux pays demandèrent alors à adhérer à la C.E.E. En 1973, le Royaume-Uni, le Danemark, l'Irlande, entrèrent dans le Marché commun. La Grèce les rejoignit en 1981. Enfin, en 1986, l'Espagne et le Portugal les ont rejoint.

Depuis 1979, tous les citoyens de la C.E.E. élisent leurs députés au Parlement européen* de Strasbourg. A Bruxelles ou à Luxembourg, siège le gouvernement de l'Europe.

---

4 Faire l'Europe pour unir les peuples

Le gouvernement français propose de placer l'ensemble de la production franco-allemande de charbon et d'acier sous une haute autorité commune, dans une organisation ouverte à la participation des autres pays d'Europe.

La mise en commun des productions de charbon et d'acier assurera immédiatement l'établissement de bases communes de développement économique, première étape de la fédération européenne. La solidarité de production qui sera ainsi nouée manifestera que toute guerre entre la France et l'Allemagne devient non seulement impensable, mais matériellement impossible.

Robert SCHUMAN, *Discours du 9 mai 1950.*

--- lexique ---

C.E.E. : (Communauté Économique Européenne) Union économique de 12 pays d'Europe ; on l'appelle aussi le Marché commun.

--- questions ---

1. Comparez les deux affiches (doc. 1 et 2). Quel est le message de chacune ?

2. Nommez les pays membres de la C.E.E. à sa création (doc. 3). Quels autres pays en font aujourd'hui partie ?

Après 1945, des pays de l'Europe de l'Ouest comprirent qu'ils devaient s'unir pour se développer et faire face à la puissance des deux « Grands ».

50 LA FRANCE DANS LA CROISSANCE ET LA CRISE

1 Un grand ensemble des années 1960 : Sarcelles dans la banlieue Nord de Paris

2 Image de la crise :
grève aux usines
Talbot,
en décembre
1983

A l'âge de l'automation, la croissance cesse d'être créatrice d'emplois. La plupart des industries, en effet, peuvent ou vont pouvoir produire plus, tout en réduisant leur personnel. Une époque tire donc à sa fin : celle où le travail humain était source de toute richesse. [...] La troisième révolution industrielle a commencé. Elle rompt le lien entre la croissance de la production et la croissance de l'emploi [...]. La question qui se pose maintenant est : la troisième révolution industrielle va-t-elle conduire à la société du chômage ou à la société du temps libre ?

M. Bosquet, « L'âge d'or du chômage », *Le Nouvel Observateur*, 4 décembre 1978.

─────── lexique ───────

pouvoir d'achat :
ensemble de tout ce qu'une personne peut acheter avec ce qu'elle gagne.

─────── questions ───────

1. Pourquoi doit-on construire de grands ensembles au début des années 1960 (doc. 1) ?

2. Quelle est la revendication principale des travailleurs de l'usine Talbot (doc. 2) ?

3. Pourquoi les entreprises doivent-elles licencier des ouvriers (doc. 2 et 3) ?

1. 1945-1975 : les « Trente Glorieuses »

De 1945 à 1973, le monde et la France ont connu la plus grande période de croissance de l'histoire des hommes.

Le progrès technique permit à chaque travailleur de produire toujours plus : aujourd'hui, un agriculteur français nourrit 5 fois plus d'hommes qu'en 1945. Le **pouvoir d'achat** a aussi fortement augmenté : l'ouvrier le moins payé devait travailler 1 heure en 1950 pour acheter 1 litre d'essence ; aujourd'hui, 12 minutes suffisent.

L'État s'est aussi enrichi. Il protège de plus en plus les citoyens. La Sécurité Sociale s'étend à l'ensemble des Français : tout le monde peut profiter de la médecine, toutes les personnes âgées ont droit à une retraite. Les chômeurs touchent une allocation. Un salaire minimum, le S.M.I.C., est fixé par l'État.

2. Une France nouvelle

La société française a changé. A la France des campagnes a succédé la France des villes. Des millions de paysans ont abandonné villages et hameaux. Ils se sont entassés dans les villes et les banlieues.

La croissance fut si rapide que les entreprises eurent besoin de toujours plus de travailleurs. D'Algérie, du Maroc, du Portugal, d'Espagne, d'Italie, ils arrivèrent par centaines de milliers, fournissant de la main-d'œuvre à bon marché.

Après la guerre, les naissances ont été nombreuses. A la fin des années 1950, la population française était jeune. Il fallut construire de très nombreuses écoles et des collèges par milliers. L'école devint obligatoire jusqu'à 16 ans.

3. La crise

Dans les années 1960, la France entra dans la société de consommation. Les ménages s'équipèrent en machine à laver, en voiture, en télévision, etc. Cette croissance s'accompagna d'énormes gaspillages : gaspillage de pétrole et de matières premières achetés à l'étranger. La brusque hausse du prix du pétrole en 1973 rappela cette réalité. L'économie française est peu à peu entrée dans la crise. Pour continuer à acheter à l'étranger les produits dont elle avait besoin, la France dut vendre plus et moins cher que les concurrents. Dans l'industrie automobile, les robots remplacent l'homme. Des industries se modernisent, d'autres disparaissent. Le chômage se développe. Ces dernières années, la pauvreté est réapparue en France.

La France a connu une longue période de croissance et de prospérité de la guerre aux années 1970 : ce furent les « Trente glorieuses ».
Depuis 1973, l'économie française est en crise : la croissance se ralentit, le chômage ne cesse d'augmenter.

51   LA CINQUIÈME RÉPUBLIQUE

1 La Vᵉ République pour l'indépendance des peuples : le chef de l'État en visite au Cambodge en 1966

2 La grande manifestation du 13 mai 1968

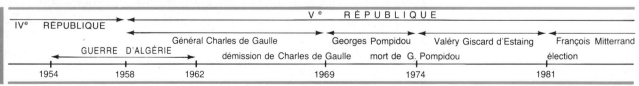

Vᵉ RÉPUBLIQUE

IVᵉ RÉPUBLIQUE

Général Charles de Gaulle   Georges Pompidou   Valéry Giscard d'Estaing   François Mitterrand

GUERRE D'ALGÉRIE   démission de Charles de Gaulle   mort de G. Pompidou   élection

1954   1958   1962   1969   1974   1981

1. Notre République

De 1945 à 1958, la France a connu une période de forte croissance. Mais les gouvernements qui se succédaient ne pouvaient arrêter la guerre d'Algérie.

En 1958, le général de Gaulle est rappelé au pouvoir : il présente une nouvelle **constitution** que les Français acceptent massivement par **référendum.** La Ve République est née : elle apporte la stabilité du gouvernement.

La constitution accorde au président de la République, élu au suffrage universel pour 7 ans, le premier rôle. Il est le chef de l'État. Il nomme le Premier ministre qui forme le gouvernement. L'Assemblée nationale et le Sénat votent les lois.

De 1958 à 1981, le général de Gaulle, Georges Pompidou et Valéry Giscard d'Estaing se sont succédé à la présidence de la République : ils appartenaient à la même **majorité.**

En 1981, l'élection de François Mitterrand amène une majorité de gauche au pouvoir.

2. Les choix de la Ve République

Libérée des guerres coloniales, la France veut retrouver sa place en Europe et dans le monde. La Ve République s'oppose au contrôle du monde par les États-Unis et l'Union soviétique. Elle affirme son indépendance. Elle noue des relations avec tous les pays.

Les présidents de la République française visitent de nombreux pays. Partout, ils s'attachent à défendre la paix. En 1966, la France condamne l'intervention des États-Unis au Vietnam ; aujourd'hui, celle de l'Union soviétique en Afghanistan.

Les présidents V. Giscard d'Estaing et F. Mitterrand ont invité les pays riches à aider davantage les pays pauvres : c'est le dialogue Nord-Sud. Mais le temps de la Ve République, c'est aussi le temps de la modernisation industrielle. La France devient une des grandes puissances économiques de la planète.

3. 1968 : la crise de la société française

Tous ces changements bouleversent profondément la vie des Français. De nombreux jeunes se sentaient étrangers à cette société où l'on produit et consomme de plus en plus : en mai 1968, les étudiants prirent la parole. Bientôt, les ouvriers déclenchèrent la grève. Aux accords de Grenelle, ils obtinrent de fortes augmentations de salaires et de nouveaux droits.

Sous la Ve République, le président, élu au suffrage universel, est le chef de l'État. Le général de Gaulle, Georges Pompidou, Valéry Giscard d'Estaing, François Mitterrand se sont succédé depuis 1958.

---

3 10 mai 1981 : élection d'un président de gauche

─── lexique ───

majorité :
les partis politiques ou les candidats qui remportent une élection ont la majorité : de 1958 à 1981, c'est une majorité de droite qui fut au pouvoir ; depuis 1981, c'est une majorité de gauche qui la remplace.

référendum :
le président de la République peut demander directement aux électeurs de se prononcer sur une question grave : ils répondent par oui ou par non.

─── questions ───

1. Situez le Cambodge sur la carte de l'atlas, pp. 27-28. Qui était président de la République en 1966 (doc. 1) ?
Aidez-vous de la frise du temps.

2. Que peut-on lire sur les banderoles tenues par les manifestants (doc. 2) ?

52 LE DÉFI FRANÇAIS

1 Une chaîne de fabrication d'automobiles en 1965

2 Une chaîne de fabrication d'automobiles aujourd'hui

3 Un métro français pour la ville de Caracas (Venezuela)

4 La France dans la conquête de l'espace : J.-L. Chrétien et P. Baudry

5 La technique est-elle responsable de la crise ?

MAIS QU'EST-CE QU' ON VA BIEN POUVOIR FAIRE DE LUI ???

——— lexique ———

informatique :
science du traitement automatique de l'information ; les ordinateurs permettent de stocker et de classer des millions de données.

biotechnologie :
technique de la transformation de la matière par l'action d'êtres vivants microscopiques.

——— questions ———

1. Comparez les deux chaînes de fabrication d'automobiles (doc. 1 et 2).

2. Situez le Venezuela sur une carte de l'atlas (doc. 3).

3. Pourquoi la France tient-elle à participer à la conquête de l'espace ?

1. La révolution informatique

Le premier ordinateur a fonctionné en 1946 ; il mesurait 30 m de long, 3 m de haut et consommait autant d'électricité que 100 radiateurs. Mais ses possibilités de calcul ne dépassaient pas celles d'un micro-ordinateur d'aujourd'hui. La miniaturisation et l'amélioration des performances ont permis la révolution informatique. Tous les domaines de l'activité humaine sont touchés.

Dans les industries les plus modernes, ce n'est plus l'homme qui commande la machine, mais un ordinateur dont la mémoire connaît les différentes étapes du travail à effectuer. L'ordinateur bouleverse le travail humain, comme la machine l'avait fait au XIXᵉ siècle. Les puissances d'aujourd'hui reposent sur la maîtrise de l'**informatique** comme les puissances du XIXᵉ siècle reposaient sur la domestication de la vapeur.

2. L'ère de la technologie

La science et les techniques ont connu une véritable révolution. De la Seconde Guerre mondiale à nos jours, l'homme a fait plus de découvertes que de son origine à 1945.

La conquête de l'espace illustre l'accélération des progrès. En 1957, le premier satellite est placé sur orbite autour de la Terre par les Soviétiques. Quatre ans plus tard, le Soviétique Youri Gagarine devint le premier cosmonaute. En 1969, l'Américain Neil Armstrong fit les premiers pas sur la lune. Aujourd'hui, des hommes travaillent dans l'espace ; des dizaines de satellites observent la Terre et l'atmosphère.

Grâce aux satellites de communication, notre Terre devient un « village planétaire » : tous les hommes peuvent regarder, au même moment, les jeux Olympiques ou un événement exceptionnel de tous les points du monde.

3. Le défi français

Les pays qui maîtrisent les technologies modernes fabriquent mieux et moins cher que leurs concurrents.

Dans le domaine de l'aviation et de l'espace, la France, associée à d'autres nations européennes, a pris la seconde place mondiale. Des Airbus sont vendus aux États-Unis et la fusée Ariane lance des satellites pour des pays étrangers.

La France vend des réacteurs nucléaires à l'Irak, à la Chine, etc. Les États-Unis s'intéressent au T.G.V. Les chercheurs français mettent au point un cœur artificiel.

Pendant ce temps, dans les laboratoires naissent les technologies de demain : la connaissance des êtres vivants, la biologie, progresse rapidement, et après l'informatique, dans tous les grands pays industriels, se prépare une nouvelle révolution : la **biotechnologie.**

1 **La défense de la paix :**
soldats français au Liban

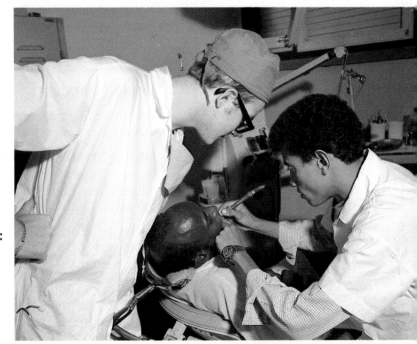

2 **L'aide médicale
au Tiers monde :**
médecin français
en Somalie

DANS LE MONDE

3 **Le dialogue avec les pays pauvres :**
le président F. Mitterrand et les participants à la conférence Nord-Sud de Cancun (au Mexique) en octobre 1981

4 **Le message de la liberté :**
discours du président F. Mitterrand à Mexico le 20 octobre 1981

A tous les combattants de la liberté, la France lance son message d'espoir. Elle adresse son salut aux femmes, aux hommes, aux enfants mêmes, [...] et qui tombent en ce moment même de par le monde pour un noble idéal. Salut aux humiliés, aux émigrés, aux exilés sur leur propre terre, qui veulent vivre, et vivre libres. Salut à celles et à ceux qu'on bâillonne, qu'on persécute ou qu'on torture, et qui veulent vivre, et vivre libres. Salut aux séquestrés, aux disparus et aux assassinés qui voulaient seulement vivre, et vivre libres. Salut aux prêtres brutalisés, aux syndicalistes emprisonnés, aux chômeurs qui vendent leur sang pour survivre, aux Indiens pourchassés dans leurs forêts, aux travailleurs sans droits, aux paysans sans terre, aux résistants sans armes, qui veulent vivre, et vivre libres. A tous la France dit : « Courage ! la liberté vaincra ! »

questions

1. Décrivez la scène du doc. 2. A votre avis, pourquoi la France doit-elle aider les pays du Tiers monde ?

2. Expliquez dans le doc. 4 les termes : émigrés, exilés, syndicalistes.
A qui s'adresse le président F. Mitterrand au nom de la France ?

1 ***Les Mariés
de la Tour Eiffel
(1928)***
de Marc Chagall
(1887-1985)

2 ***Musiciens aux masques
(1921)*** de Pablo Picasso
(1881-1973)

3 | ***Les Constructeurs* (1951)**
de Fernand Léger
(1881-1955)

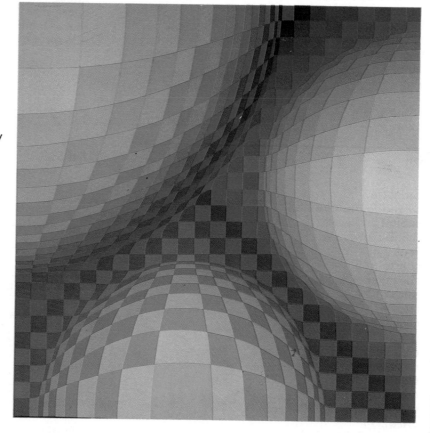

4 | ***Triond* (1973)**
de Victor Vasarély
(né en 1908)

Index

Crédits photographiques

Imprimé en France par I.M.E. - 25110 Baume-les-Dames
Dépôt légal n° 0837-03/1997 - Collection n° 62 - Edition n° 15
11/4897/2